Le Mystère de la cha

Charles Péguy

Édition : BoD – Books on Demand, 12/14 rond-point des Champs-Élysées, 75008 Paris.
Impression : BoD - Books on Demand, Norderstedt, Allemagne
ISBN : 9782322233540
Dépôt légal : juin 2020

1425.

En plein été.

Le matin, Jeannette, la fille à Jacques d'Arc, file en gardant les moutons de son père, sur un coteau de la Meuse. On voit au second plan, de la droite à la gauche, la Meuse parmi les prés, le village de Domremy avec l'église, et la route qui mène à Vaucouleurs. À la gauche au loin le village de Maxey. Au fond les collines en face : blés, vignes et bois ; les blés sont jaunes.

Jeannette a treize ans et demi ;

Hauviette, son amie, dix ans et quelques mois.

Madame Gervaise a vingt-cinq ans.

(Jeannette continue de filer ; puis elle se lève ; se tourne vers l'église ; dit le signe de la croix sans le faire.)

JEANNETTE

Au nom du Père ; et du Fi ; et du Saint-Esprit ; Ainsi soit-il.

Notre Père qui êtes aux cieux ; que votre nom soit sanctifié ; que votre règne arrive ; que votre volonté soit faite sur la terre comme au ciel. Donnez-nous aujourd'hui notre pain de chaque jour ; pardonnez-nous nos offenses comme nous pardonnons à ceux qui nous ont offensés ; ne nous laissez pas succomber à la tentation ; mais délivrez-nous du mal. Ainsi soit-il.

Je vous salue Marie, pleine de grâce ; le Seigneur est avec vous ; vous êtes bénie entre toutes les femmes ; et Jésus le fruit de vos entrailles est béni. Sainte Marie, mère de Dieu, priez pour nous pauvres pécheurs, maintenant et à l'heure de notre mort. Ainsi soit-il.

Saint Jean, mon patron ; sainte Jeanne, ma patronne ; priez pour nous ; priez pour nous.

Au nom du Père ; et du Fi ; et du Saint-Esprit ; Ainsi soit-il.

Notre père, notre père qui êtes aux cieux, de combien il s'en faut que votre nom soit sanctifié ; de combien il s'en faut que votre règne arrive.

Notre père, notre père qui êtes au royaume des cieux, de combien il s'en faut que votre règne arrive au royaume de la terre.

Notre père, notre père qui êtes au royaume des cieux, de combien il s'en faut que votre règne arrive au royaume de France.

Notre père, notre père qui êtes aux cieux, de combien il s'en faut que votre volonté soit faite ; de combien il s'en faut que nous ayons notre pain de chaque jour.

De combien il s'en faut que nous pardonnions nos offenses ; et que nous ne succombions pas à la tentation ; et que nous soyons délivrés du mal. Ainsi soit-il.

Ô mon Dieu si on voyait seulement le commencement de votre règne. Si on voyait seulement se lever le soleil de votre règne. Mais rien, jamais rien. Vous nous avez envoyé votre Fils, que vous aimiez tant, votre fils est venu, qui a tant souffert, et il est mort, et rien, jamais rien. Si on voyait poindre seulement le jour de votre règne. Et vous avez envoyé vos saints, vous les avez appelés chacun par leur nom, vos autres fils les saints, et vos filles les saintes, et vos saints sont venus, et vos saintes sont venues, et rien, jamais rien. Des années ont passé, tant d'années que je n'en sais pas le nombre ; des siècles d'années ont passé ; quatorze siècles de chrétienté, hélas, depuis la naissance, et la mort, et la prédication. Et rien, rien, jamais rien. Et ce qui règne sur la face de la terre, rien, rien, ce n'est rien que la perdition. Quatorze siècles (furent-ils de chrétienté), quatorze siècles depuis le rachat de nos âmes. Et rien, jamais rien, le règne de la terre n'est rien que le règne de la perdition, le royaume de la terre n'est rien que le royaume de la perdition. Vous nous avez envoyé votre fils et les autres saints. Et rien ne coule sur la face de la terre, qu'un flot d'ingratitude et de perdition. Mon Dieu, mon Dieu, faudra-t-il que votre Fils soit mort en vain. Il serait venu ; et cela ne servirait de rien. C'est pire que jamais. Seulement si on voyait seulement se lever le soleil de votre justice. Mais on dirait, mon Dieu, mon Dieu, pardonnez-moi, on dirait que votre règne s'en va. Jamais on n'a tant blasphémé votre nom. Jamais on n'a tant méprisé votre volonté. Jamais on n'a tant désobéi. Jamais notre pain ne nous a tant manqué ; et s'il ne manquait qu'à nous, mon Dieu, s'il ne manquait qu'à nous ;

et s'il n'y avait que le pain du corps qui nous manquait, le pain de maïs, le pain de seigle et de blé ; mais un autre pain nous manque ; le pain de la nourriture de nos âmes ; et nous sommes affamés d'une autre faim ; de la seule faim qui laisse dans le ventre un creux impérissable. Un autre pain nous manque. Et au lieu que ce soit le règne de votre charité, le seul règne qui règne sur la face de la terre, de votre terre, de la terre de votre création, au lieu que ce soit le règne du royaume de votre charité, le seul règne qui règne, c'est le règne du royaume impérissable du péché. Encore si l'on voyait le commencement de vos saints, si l'on voyait poindre le commencement du règne de vos saints. Mais qu'est-ce qu'on a fait, mon Dieu, qu'est-ce qu'on a fait de votre créature, qu'est-ce qu'on a fait de votre création ? Jamais il n'a été fait tant d'offenses ; et jamais tant d'offenses ne sont mortes impardonnées. Jamais le chrétien n'a fait tant d'offense au chrétien, et jamais à vous, mon Dieu, jamais l'homme ne vous a fait tant d'offense. Et jamais tant d'offense n'est morte impardonnée. Sera-t-il dit que vous nous aurez envoyé en vain votre fils, et que votre fils aura souffert en vain, et qu'il sera mort. Et faudra-t-il que ce soit en vain qu'il se sacrifie et que nous le sacrifions tous les jours. Sera-ce en vain qu'une croix a été dressée un jour et que nous autres nous la redressons tous les jours. Qu'est-ce qu'on a fait du peuple chrétien, mon Dieu, de votre peuple. Et ce ne sont plus seulement les tentations qui nous assiègent, mais ce sont les tentations qui triomphent ; et ce sont les tentations qui règnent ; et c'est le règne de la tentation ; et le règne des royaumes de la terre est tombé tout entier au règne du royaume de la tentation ; et les mauvais succombent à la tentation du mal, de faire du mal ; de faire du mal aux autres ; et pardonnez-moi, mon Dieu, de vous faire du mal à vous ; mais les bons, ceux qui étaient bons, succombent à une tentation infiniment pire : à la tentation de croire qu'ils sont abandonnés de vous. Au nom du Père, et du Fils, et du Saint-Esprit, mon Dieu délivrez-nous du mal, délivrez-nous du mal. S'il n'y a pas eu encore assez de saintes et assez de saints, envoyez-nous en d'autres, envoyez-nous en autant qu'il en faudra ; envoyez-nous en tant que l'ennemi se lasse. Nous les suivrons, mon Dieu. Nous ferons tout ce que vous voudrez. Nous ferons tout ce qu'ils voudront. Nous ferons tout ce qu'ils nous diront de votre part. Nous sommes vos fidèles, envoyez-nous vos saints ; nous sommes vos brebis, envoyez-nous vos bergers ; nous sommes le troupeau, envoyez-nous les pasteurs. Nous sommes des bons chrétiens, vous savez que nous sommes des bons chrétiens. Alors comment que ça se fait que tant de bons chrétiens ne fassent pas une bonne chrétienté. Il faut qu'il y ait quelque chose qui ne marche pas. Si vous nous envoyiez, si seulement vous vouliez nous envoyer l'une de vos saintes. Il y en a bien encore. On dit qu'il y en a. On en voit. On en sait. On en connaît. Mais on ne sait pas comment que ça se fait. Il y a des saintes, il y a de la sainteté, et ça ne marche pas tout de même. Il y a quelque chose qui ne marche pas. Il y a des saintes, il y a de la sainteté et jamais le règne du royaume de la perdition n'avait autant dominé sur la face de la terre. Il faudrait peut-être autre chose, mon Dieu, vous savez tout. Vous savez ce qui nous manque. Il nous faudrait peut-être quelque chose de nouveau, quelque chose qu'on n'aurait encore jamais vu. Quelque chose qu'on n'aurait encore jamais fait. Mais qui oserait dire, mon Dieu, qu'il puisse encore y avoir du nouveau après quatorze siècles de chrétienté, après tant de saintes et tant de saints, après tous vos martyrs, après la passion et la mort de votre fils.

(Elle se rassied et recommence à filer.)

Enfin ce qu'il nous faudrait, mon Dieu, il faudrait nous envoyer une sainte... qui réussisse.

(Une voix monte de la vallée, vient, s'approche. C'est Hauviette qui vient. Elle monte du bourg par le sentier. Elle chante :)

Les Anglais n'auront pas

La tour de Saint-Nique Nique,

Les Anglais n'auront pas

La Tour de Saint-Nicolas.

JEANNETTE

Mon Dieu, mon Dieu, nous serons bien sages, nous serons bien soumis, nous serons bien obéissants. Nous serons bien fidèles.

Mon Dieu, mon Dieu, nous sommes vos enfants, nous sommes vos enfants.

HAUVIETTE

apparaît venant.

JEANNETTE

Mon Dieu, mon Dieu, qu'est-ce qu'on a fait de votre peuple.

(Entre Hauviette. Elle commence toute chantante, comme si ses paroles ne fussent que la suite naturelle de sa chanson, et ne redescend que par degrés à son propos ordinaire.)

HAUVIETTE

Bonjour, Jeannette.

JEANNETTE

Bonjour, Hauviette.

(Un silence.)

HAUVIETTE

Tu faisais ta prière ?

JEANNETTE

(Un assez long silence.)

Je faisais ma prière. Il y a tant de manque. Il y a tant à demander.

HAUVIETTE

Le bon Dieu sait bien ce qu'il nous faut, le bon Dieu sait bien ce qui nous manque.

(Puis toujours comme bavardant :)

Tu faisais ta prière. Ne t'en excuse pas. Ne t'en défends pas. Je ne te le reproche pas. Tu n'as pas besoin de t'en défendre. Il n'y a pas de mal à ça. Tu n'as pas besoin d'avoir honte.

JEANNETTE

(Un silence.)

Je faisais ma prière. Toi aussi, Mauviette, tu fais ta prière.

HAUVIETTE

Moi je suis bonne chrétienne comme tout le monde, je fais ma prière comme tout le monde, je suis bonne paroissienne comme tout le monde. Hein, je fais ma prière tous les matins et tous les soirs, mon Notre Père et mon Je vous salue Marie, pour commencer et pour finir ma journée. Et puis ça m'emplit ma journée ; hein ça suffit pour m'emplir toute ma journée, pour me faire tenir ma journée ; ça me tient le cœur toute la journée. Ça me fait passer toute ma journée. Je suis une bonne chrétienne. On fait ses deux prières comme on fait ses trois repas. C'est aussi naturel. C'est la même chose. C'est ça qui fait la journée. On ne mange pas toute la journée. On ne fait pas sa prière toute la journée. Je suis une bonne paroissienne. Je fais aussi ma prière à l'Angelus du matin et à l'Angelus du soir, quand même que je ferais n'importe quoi, je m'arrête de le faire, naturellement, pour répondre à la cloche. Je suis une bonne paroissienne de la paroisse de Domremy. Je vais au catéchisme comme tout le monde. Et le dimanche je vais au bourg à la messe et à l'église comme tout le monde. Seulement, voilà, moi, il ne faut pas que le dimanche ressemble aux jours de la semaine et que les jours de la semaine ressemblent au dimanche. Et que les heures de la prière ressemblent aux autres heures de la journée et les autres heures de la journée aux heures de la prière. Sans ça, alors, autrement, c'est comme si il (n')y avait pas de dimanche. Dans la semaine. Et pas d'heures de la prière. Dans la journée. Alors c'est pas la peine d'avoir un dimanche. Il ne faut pas travailler le dimanche. Mais alors il faut travailler (dans) la semaine. Il y a un jour pour le bon Dieu, et les autres jours c'est pour travailler. Travailler, c'est prier. Je vais au catéchisme le dimanche matin avant la messe. Il y a temps pour tout. À chaque heure suffit sa peine. Et son travail. Chaque chose en son temps. Travailler, prier, c'est tout naturel, ça, ça se fait tout seul.

Il faut que le dimanche ressorte dans la semaine et que l'Angelus et l'heure de la prière sorte dans la journée.

Oui Jeannette, ma belle, je fais ma prière, mais toi tu ne sors pas de la faire, tu la fais tout le temps, tu n'en sors pas, tu la fais à toutes les croix du chemin, l'église ne te suffit pas. Jamais les croix des chemins n'avaient tant servi...

JEANNETTE

Hauviette, Hauviette...

HAUVIETTE

Ne te fâche pas, ma belle. Jamais les croix des chemins n'avaient tant servi...

JEANNETTE

Hélas hélas une croix un jour a servi, une vraie croix, en bois, sur une montagne, a servi une fois... quelle fois.

HAUVIETTE

Tu vois, tu vois. Ce que nous savons, nous autres, tu le vois. Ce qu'on nous apprend, nous autres, tu le vois. Le catéchisme, tout le catéchisme, et l'église, et la messe, tu ne le sais pas, tu le vois, et ta prière tu ne la fais pas, tu ne la fais pas seulement, tu la vois. Pour toi il n'y a pas de semaines. Et il n'y a pas de jours. Il n'y a pas de jours dans la semaine ; et pas d'heures dans la journée. Toutes les heures te sonnent comme la cloche de l'Angelus. Tous les jours sont des dimanches et plus que des dimanches et les dimanches plus que des dimanches et que le dimanche de Noël et que le dimanche de Pâques et la messe plus que la messe...

JEANNETTE

Il n'y a rien de plus que la messe.

HAUVIETTE

Je suis une bonne paroissienne de la paroisse de Domremy en Lorraine, dans ma Lorraine de chrétienté. Voilà. C'est tout. Mais toi jamais les croix de ces pays-ci n'avaient autant servi depuis qu'elles étaient venues au monde, jamais les croix de pierre n'avaient autant servi, jamais les croix de chrétienté en par ici, les croix de ces pays-ci de chrétienté n'avaient reçu autant de prières, depuis tout le temps qu'elles étaient venues au monde, que depuis treize ans et demi que toi tu es venue au monde. Voilà ce que je sais. Et la croix qui est à la croisée du chemin de Maxey.

JEANNETTE

Hélas, hélas, c'est que c'est le chemin qui mène aux ennemis, le chemin du bourg ennemi. Comment des chrétiens peuvent-ils être ennemis, enfants du même Dieu, frères de Jésus.

Tous frères de Jésus.

HAUVIETTE

Tellement que tu as honte...

JEANNETTE

Hauviette, Hauviette...

HAUVIETTE

Tellement que tu as honte, d'être toujours en prière, et que tu te caches. Tu dis le signe de la croix, au lieu de le faire, au commencement et à la fin de tes prières, pour qu'on ne te voie pas, parce que tu le ferais tout le temps.

JEANNETTE

Hélas.

HAUVIETTE

Tu veux être comme les autres. Tu veux être comme tout le monde. Tu ne veux pas te faire remarquer. Tu as beau faire. Tu n'y arriveras jamais.

JEANNETTE

Je suis une bergère comme tout le monde, je suis une chrétienne comme tout le monde, je suis une paroissienne comme tout le monde.

Je suis votre amie comme vous.

HAUVIETTE

Tu auras beau faire, tu auras beau dire, tu auras beau croire : tu es notre amie, jamais tu ne seras comme nous.

Je ne t'en veux pas. Je suis dans la main du bon Dieu. Nous sommes dans la main du bon Dieu, tous, et la terre, entière, est dans la main du bon Dieu. Il faut de tout pour faire un monde. Il faut des créatures de toute sorte pour faire une création. Il faut des paroissiens de toute sorte pour faire une paroisse. Il faut des chrétiens de toute sorte pour faire une chrétienté.

JEANNETTE

Il y a eu des saints de toute sorte. Il a fallu des saints et des saintes de toute sorte. Et aujourd'hui il en faudrait. Il en faudrait peut-être encore d'une sorte de plus.

HAUVIETTE

Tu es parmi nous, tu n'es pas comme nous, jamais tu ne seras comme nous. Moi quand je fais ma prière, je suis contente, pour le temps que ça dure. Pour le temps de la faire, et pour le temps que ça dure après. Jusqu'à la suivante. Jusqu'à la prochaine.

JEANNETTE

Hélas.

HAUVIETTE

Mais toi ça te laisse toujours sur ta faim, de faire ta prière. Et tu es toujours aussi malheureuse qu'avant. Après qu'avant. Écoute, Jeannette : Je sais pourquoi tu veux voir madame Gervaise.

JEANNETTE

Personne encore ne l'a deviné, ni maman, ni ma grande sœur, ni notre amie Mengette.

HAUVIETTE

Je le sais, moi, pourquoi tu veux la voir, cette madame Gervaise.

JEANNETTE

Alors, Hauviette, c'est que tu es bien malheureuse.

HAUVIETTE

Malheureuse, malheureuse, je suis malheureuse quand c'est mon tour. C'est pas toujours mon tour. Seulement je suis une fille qui voit clair. Tu veux voir madame Gervaise à cause de cette détresse que tu as dans l'âme, jusqu'au fond, jusqu'au dernier fond de l'âme. On s'imagine ici, dans la paroisse, que tu es heureuse de ta vie parce que tu fais la charité, parce que tu soignes les malades et que tu consoles ceux qui sont affligés ; et que tu es toujours là avec ceux qui ont de la peine. Mais moi, moi Hauviette, je sais que tu es malheureuse.

JEANNETTE

Tu le sais parce que tu es mon amie, Hauviette.

HAUVIETTE

Je ne suis pas amie seulement, je suis une fille qui voit clair. De faire du bien aux autres, nous autres ça nous ferait du bien, si seulement on en faisait. Mais toi rien ne te fait du bien. Tout te fait du mal. Tout te laisse sur ta faim. Tu te consumes, tu te consumes, tu es consumée de tristesse, tu es perdue de tristesse, tu as, pauvre grande, tu as une fièvre, une fièvre de tristesse, et tu ne guéris point, tu ne te guéris jamais. Tu as une grande fièvre. Tu es pétrie de tristesse. Ton âme est pétrie de tristesse. Ton oncle est allé la chercher, hein.

JEANNETTE

Il est vrai que mon âme est dans la tristesse. Tout-à-l'heure encore...

MAUVIETTE

Alors pourquoi faire semblant, pourquoi vouloir ressembler à tout le monde.

JEANNETTE

Parce que j'ai peur.

HAUVIETTE

La tristesse, la peur, la détresse. C'est une grande famille et il y en a beaucoup. On dirait que tu as consommé toute la tristesse de la terre.

JEANNETTE

Comment une âme ne serait-elle pas noyée de tristesse. Tout-à-l'heure encore j'ai vu passer deux enfants, deux gamins, deux petits qui descendaient tout seuls par le sentier là-bas. Derrière les bouleaux, derrière la haie. Le plus grand traînait l'autre. Ils pleuraient, ils criaient J'ai faim, j'ai faim, j'ai faim... Je les entendais d'ici. Je les ai appelés. Je ne voulais pas quitter mes moutons. Ils ne m'avaient pas vue. Ils sont accourus en criant comme des petits chiens. Le plus grand avait bien sept ans.

HAUVIETTE

Le plus petit avait bien trois ans. Des moucherons, des marmots. Je les connais très bien, tes nourrissons.

JEANNETTE

Hauviette, Hauviette.

HAUVIETTE

Je les ai rencontrés en venant. Je montais, ils descendaient. Ils descendent toujours. Ils m'ont appelée madame. C'est rigolo. Oui, ils m'ont dit (imitant) : Bonjour, madame. C'est très rigolo. Ils m'ont dit aussi : Madame, il y a une madame bergère qui garde ses moutons là-haut au bout du chemin et qui file de la laine. Oui, oui, c'est toi madame la bergère. Malicieusement. Ils avaient bonne mine, tes deux. Ils avaient très bonne mine. Ils étaient contents. Ils avaient l'air heureux de vivre.

JEANNETTE

Ils sont accourus comme des petits chiens. Ils criaient Madame j'ai faim, madame j'ai faim.

HAUVIETTE

Tu en oublies. Ils ont dû t'appeler, oui, oui, ils t'ont certainement appelée (saluant) madame la bergère. Ils y tenaient trop. Ils étaient trop contents de toi, après. Et ils étaient aussi trop contents de ça, de t'appeler comme ça. C'est pas comme moi.

JEANNETTE

Toi tu n'y tiens pas. Tu as raison, petite sotte, petite peste. Ils m'ont appelée madame la bergère.

HAUVIETTE

Tu vois bien. Moi je n'y fais pas même attention. Je n'ai rien entendu.

JEANNETTE

Ils criaient : Madame j'ai faim madame j'ai faim. Ça m'entrait dans le ventre et dans le cœur, ça me broyait comme si des cris pouvaient broyer le cœur. Ça me faisait mal. Regardant brusquement Hauviette dans les yeux. Je ne suis peut-être pas la seule madame qui ne peut pas supporter les cris des enfants.

HAUVIETTE

Allons, tais-toi. Veux-tu te taire. Qui veux-tu dire ? De qui Veux-tu parler ? Je ne la connais pas. Je n'en connais pas. Je n'en ai pas entendu parler. Non, non, je ne connais personne. Finis-la, ton histoire, et qu'on n'en parle plus. Je la connais, ton histoire. Tu m'embêtes avec ton histoire. C'est pas la peine de la finir. Je la connais, la fin de ton histoire. Tu leur as donné tout ton pain.

JEANNETTE

Je leur ai donné tout mon pain, mon manger de midi et mon manger de quatre heures. Ils ont sauté dessus comme des bêtes, ils se sont jetés dessus comme des bêtes ; et leur joie m'a fait mal, encore plus mal, parce que tout d'un coup malgré moi j'ai saisi, ça m'a travaillé tout d'un coup dans ma tête, ça s'est éclairé tout d'un coup dans ma tête ; et malgré moi j'ai pensé ; j'ai compris ; j'ai vu ; j'ai pensé à tous les autres affamés qui ne mangent pas, à tant d'affamés, à des affamés innombrables ; j'ai pensé à tous les malheureux, qui ne sont pas consolés, à tant et tant de malheureux, à des malheureux innombrables ; j'ai pensé aux pires de tous, aux derniers, aux extrêmes, aux pires, à ceux qui ne veulent pas qu'on les console, à tant et tant qui ne veulent plus être consolés, qui sont dégoûtés de la consolation, et qui désespèrent de la bonté de Dieu. Les malheureux se lassent du malheur et ensemble de la consolation même ; ils sont plus vite fatigués d'être consolés que nous de les consoler ; comme s'il y avait au cœur de la consolation un creux ; comme si elle était véreuse ; et quand nous sommes encore toutes prêtes à donner, ils ne sont plus prêts à recevoir, ils ne veulent plus recevoir ; ils ne consentent plus ; ils n'ont plus faim de recevoir ; ils ne veulent plus rien recevoir ; comment donner à celui qui ne veut plus recevoir ; il faudrait des saintes ; il faudrait des nouvelles saintes, qui inventeraient des nouvelles sortes. Et j'ai senti que j'allais pleurer. Alors j'avais les yeux gonflés, j'ai tourné la tête, parce que je ne voulais pas leur faire de la peine, à ces deux-là, du moins.

HAUVIETTE

Oui, oui, vous avez inventé ça, aussi. Tout ça c'est très perfectionné. Vous avez un secret pour ça. Vous réussissez à souffrir plus que ceux qui souffrent eux-mêmes. Où les malheureux sont malheureux une fois, vous vous rendez malheureux cent fois, pour le même malheur. Quand les malheureux sont malheureux, vous êtes malheureux ; quand les malheureux sont heureux, vous êtes malheureux ; pour changer. Quand les malheureux sont malheureux, vous êtes malheureux avec eux ; quand les malheureux sont heureux, pour vous rattraper, vous êtes encore plus malheureux. Il faudra changer ça, ma fille, il faudra changer ça. Ou ça finira mal. Ils étaient heureux, ces deux gamins, pendant qu'ils mangeaient ton pain. Ça leur a toujours fait un quart d'heure de bon. Alors vous autres vous en profitez pour que ça vous fasse encore un quart d'heure de mauvais. C'est toujours ça de pris. Vous êtes malins. Vous ne perdez rien. Un quart d'heure de plus mauvais. Vous savez profiter, vous profitez de tout. Un quart d'heure de pire. C'est toujours autant de bon. C'est toujours autant de gagné. Vous êtes des profiteurs.

JEANNETTE

Je leur ai donné mon pain : la belle avance ! Ils auront faim ce soir ; ils auront faim demain.

HAUVIETTE

Ils auront faim ce soir, ils n'y pensaient pas ce matin ; ils avaient faim hier, ils n'y pensaient pas ce matin. Mais toi tu y pensais. Vous avez faim pour les autres. Ils en trouveront d'autres.

Vous avez faim, pour les autres qui ont faim, même quand ils n'ont pas faim.

JEANNETTE

Jeûner, jeûner ne serait rien. On jeûnerait tout le temps si ça servait tout le temps.

On jeûnerait tout le temps si ça servait une fois. On jeûnerait tout le temps si ça servait jamais.

HAUVIETTE

Ni les embêtements de demain, ni les embêtements d'hier : aujourd'hui seulement les embêtements d'aujourd'hui. Il faut prendre le temps comme il vient, même le temps des autres. Il faut prendre le temps comme le bon Dieu nous l'envoie, même comme il l'envoie aux autres, comme il nous envoie le temps des autres.

JEANNETTE

Leur père a été tué par les Bourguignons. Hélas, hélas, ce n'est pas même par les Anglais. On n'a pas besoin des Anglais. Pour massacrer les Français. Leur mère, hélas leur mère. Tous les deux ils ont échappé ils ne savent pas comment. Ils ne le sauront jamais. C'est le plus vieux qui m'a dit tout ça, quand il a eu fini de manger. Avant de repartir.

(Un silence bref.)

Les voilà repartis sur la route affameuse. Dans la poussière, dans la boue, dans la faim. Dans l'avenir, dans la détresse, dans l'anxiété de l'avenir. Qui leur donnera, mon Dieu, qui leur donnera le pain de chaque jour. Mais au contraire ils marcheront dans la détresse et dans la faim de chaque jour. Ils pleuraient encore en riant. Et ils riaient en pleurant, comme un rayon de soleil tout à travers leurs larmes. Leurs grosses larmes oubliées glissaient et tombaient sur leur pain. C'était comme les dernières gouttes de pluie quand le soleil est revenu. Ils mangeaient sur leur pain, tartinées, le reste de leurs larmes. Qu'importent nos efforts d'un jour ? qu'importent nos charités ? Je ne peux pourtant pas donner toujours. Je ne peux pas donner tout. Je ne peux pas donner à tout le monde. Je ne peux pourtant pas faire manger aux passants tout le pain de mon père. Et même alors, est-ce que ça paraîtrait ? dans la masse des affamés. Elle cesse insensiblement de filer. Pour un blessé que nous soignons par hasard, pour un enfant à qui nous donnons à manger, la guerre infatigable en fait par centaines, elle, et tous les jours, des blessés, des malades et des abandonnés. Tous nos efforts sont vains ; nos charités sont vaines. La guerre est la plus forte à faire la souffrance. Ah ! maudite soit-elle et maudits ceux qui l'ont apportée sur la terre de France.

(Elle s'est complètement arrêtée de filer.)

(Un silence.)

Nous aurons beau faire, nous aurons beau faire, ils iront toujours plus vite que nous, ils en feront toujours plus que nous, davantage que nous. Il ne faut qu'un briquet pour brûler une ferme. Il faut, il a fallu des années pour la bâtir. Ça n'est pas difficile ; ça n'est pas malin. Il faut des mois et des mois, il a fallu du travail et du travail pour pousser une moisson. Et il ne faut qu'un briquet pour flamber une moisson. Il faut des années et des années pour faire pousser un homme, il a fallu du pain et du pain pour le nourrir, et du travail et du travail et des travaux et des travaux de toutes sortes. Et il suffit d'un coup pour tuer un homme. Un coup de sabre, et ça y est. Pour faire un bon chrétien il faut que la charrue ait travaillé vingt ans. Pour défaire un chrétien il faut que le sabre travaille une minute. C'est toujours comme ça. C'est dans le genre de la charrue de travailler vingt ans. C'est dans le genre du sabre de travailler une minute ; et d'en faire plus ; d'être le plus fort. D'en finir. Alors nous autres nous serons toujours les moins forts. Nous irons toujours moins vite, nous en ferons toujours moins. Nous sommes le parti de ceux qui construisent. Ils sont le parti de ceux qui démolissent. Nous sommes le parti de la charrue. Ils sont le parti du sabre. Nous serons toujours battus. Ils auront toujours le dessus dessus nous, par dessus nous.

Nous aurons beau dire.

(Un silence.)

Pour un blessé qui se traîne au long des routes, pour un homme que nous ramassons au long des routes, pour un enfant qui traîne au bord des routes, combien la guerre n'en fait-elle pas, des blessés, des malades, et des abandonnés, de malheureuses femmes, et des enfants abandonnés ; et des morts, et tant de malheureux qui perdent leur âme. Ceux qui tuent perdent leur âme parce qu'ils tuent. Et ceux qui sont tués perdent leur âme parce qu'ils sont tués. Ceux qui sont les plus forts, ceux qui tuent perdent leur âme par le meurtre qu'ils font. Et ceux qui sont tués, celui qui est le plus faible, perdent leur âme par le meurtre qu'ils subissent, car se voyant faibles et se voyant meurtris, toujours les mêmes faibles, toujours les mêmes malheureux, toujours les mêmes battus, toujours les mêmes tués, alors les malheureux ils désespèrent de leur salut, car ils désespèrent de la bonté de Dieu. Et ainsi, de quelque côté qu'on se tourne, des deux côtés c'est un jeu où, comment qu'on joue, quoi qu'on joue, c'est toujours le salut qui perd, et c'est toujours la perdition qui gagne. Tout n'est qu'ingratitude, tout n'est que désespoir et que perdition.

(Un silence.)

Et le pain éternel. Celui qui manque trop du pain quotidien n'a plus aucun goût au pain éternel, au pain de Jésus-Christ.

(Un silence.)

Maudite soit-elle, maudite de Dieu ; même ; et maudits ceux qui l'ont apportée sur la terre de France ; et ceux qui l'ont apportée sur la terre de France, faudra-t-il, mon Dieu, faudra-t-il qu'ils soient maudits aussi de vous. Faudra-t-il que nous vous demandions des malédictions, vos malédictions contre eux. Et votre réprobation. Votre métier, vous mon Dieu, c'est la bénédiction. Quand nous vous demandons vos bénédictions, nous vous faisons faire votre métier. Vous étiez fait pour verser vos bénédictions comme une pluie, comme une pluie bienfaisante, comme une pluie douce, tiède, agréable, comme une pluie fécondante sur la terre, comme une bonne pluie, comme une pluie d'automne sur la tête, sur les têtes de tous vos enfants ; ensemble. Sera-t-il dit, mon Dieu, sera-t-il dit qu'à présent nous vous demanderons, que nous aurons à vous demander des malédictions, vos malédictions, nous tous vos enfants, les uns contre les autres.

Quand nous vous demandons des malédictions, quand nous vous demandons votre réprobation, nous ne vous faisons pas faire votre métier, nous vous faisons faire le contraire de votre métier.

(Un silence.)

Mon Dieu, mon Dieu, nous ne vous faisons pas faire votre métier.

(Un silence.)

(Elle se remet à filer.)

Et puis qu'est-ce que ça lui fait ? mes malédictions. Je pourrais passer ma vie entière à la maudire, du matin au soir, et les villes n'en seront pas moins efforcées, et les hommes d'armes n'en feront pas moins chevaucher leurs chevaux dans les blés vénérables.

(Un silence.)

Sacrés, blés sacrés, blés qui faites le pain, froment, épi, grain de l'épi de blé. Moisson du blé des champs. Pain qui fûtes servi sur la table de Notre-Seigneur. Blé, pain qui fûtes mangé par Notre-Seigneur même, qui un jour entre tous les jours fûtes mangé.

Blés, sacrés blés qui devîntes le corps de Jésus-Christ, un jour entre tous les jours, et qui tous les jours êtes mangé n'étant plus vous-même, mais étant le corps de Jésus-Christ.

(Un silence.)

Blé qui n'êtes plus que les aspects du blé ; pain qui n'êtes plus que les apparences du pain ; pain qui n'êtes plus que les espèces du pain.

Pain qui n'êtes plus que de l'ancien pain.

(Un long silence.)

Et vous vigne, sœur du blé. Grain de la grappe de vigne. Raisin des treilles. Vendange du vin des vignes. Ceps et grappes des vignobles. Vignobles des coteaux.

Vin qui fûtes servi sur la table de Notre-Seigneur. Vigne, vin qui fûtes bu par Notre-Seigneur même, qui un jour entre tous les jours fûtes bu.

Vigne, vigne sacrée, vin qui fûtes changé au sang de Jésus-Christ, un jour entre tous les jours, et qui tous les jours aux mains du prêtre êtes changé, n'étant plus vous-même, mais étant le sang de Jésus-Christ.

(Un silence.)

Vin qui n'êtes plus que les aspects du vin ; vin qui n'êtes plus que les apparences du vin ; vin qui n'êtes plus que les espèces du vin.

Pain qui fûtes changé au corps, vin qui fûtes changé au sang.

Pain qui n'êtes plus que de l'ancien pain, vin qui n'êtes plus que de l'ancien vin.

(Un silence.)

Faudra-t-il, mon Dieu, que le sang de votre Fils ait coulé en vain ; qu'il ait coulé en vain une fois, et tant de fois.

Une fois, cette fois ; et depuis tant de fois.

Faudra-t-il, mon Dieu, que le corps de votre Fils ait été sacrifié en vain ; qu'il ait été offert en vain une fois, et tant de fois.

Une fois, cette fois ; et depuis tant de fois.

Sera-t-il dit que vous abandonnerez, que vous aurez abandonné la chrétienté de vos enfants.

Tout est plein de la guerre et de perdition. Et c'est la guerre qui fait la perdition. Sera-t-il dit que vous nous abandonnerez à la guerre.

(Un silence.)

C'est vous qu'il nous faudrait et que l'on vît passer sur la terre la marque de votre main.

Vous l'avez fait autrefois. Vous l'avez fait pour d'autres peuples. Ne le ferez-vous point pour ce peuple de France.

Pour d'autres peuples vous avez envoyé des saints. Vous avez même envoyé des guerriers.

Nous sommes des pécheurs, mais nous sommes chrétiens tout de même. Nous sommes du peuple chrétien. Nous sommes de votre peuple de chrétienté.

(Un silence.)

Autrement qu'est-ce que ça lui fait, nos malédictions. Nous pourrions passer notre vie entière à la maudire, du matin au soir, et la maudire comme on fait sa prière. Elle a eu la malédiction de Jésus et la gueuse elle ne s'en porte pas plus mal, c'est effrayant. Elle a eu sur elle la malédiction, la réprobation de Jésus même, saint Pierre et l'épée de Malchus. Malchus et l'épée de saint Pierre.

Alors nous de quel droit la maudire, de quelle force, de quelle autorité. C'est une chose effrayante qu'il y a quelqu'un qui a sur soi la malédiction de Jésus et qui se promène en vainqueur sur tous les chemins du monde. Livrerez-vous enfin le monde à cette gueuse ?

(Un silence.)

Mais nous petits de quel pouvoir la maudire, et de quelle efficacité. J'aurais mieux fait de filer tranquille. Tant qu'il n'y aura pas eu quelqu'un pour tuer la gueuse, pour meurtrir le meurtre et pour sauver ce peuple, tant qu'il n'y aura pas eu quelqu'un pour tuer la guerre, nous serons comme les enfants quand on s'amuse en bas dans les prés à faire des digues et des levées avec de la terre et avec le sable, avec la boue de la Meuse. La Meuse finit toujours par passer par dessus.

Un jour ou l'autre.

HAUVIETTE

Et c'est pour cela que tu veux voir, madame Gervaise ?

JEANNETTE

...

HAUVIETTE

Madame Gervaise, qui n'est pas ton amie...

JEANNETTE

On n'est pas l'amie d'une sainte.

HAUVIETTE, très violemment :

Elle est moins sainte que toi.

JEANNETTE, rougissant sous le coup et fermant un instant les yeux :

Tais-toi, malheureuse, qu'oses-tu dire ? C'est une fille de Dieu.

HAUVIETTE

Je suis une fille qui voit clair. On n'est pas l'amie d'une fille de Dieu.

JEANNETTE

Madame Gervaise est au couvent. Nulle fille n'entre au couvent que Dieu ne l'ait appelée par son nom. Il y a une vocation. Il faut qu'il y ait une vocation. Nulle fille n'entre au couvent, nulle âme ne se réfugie au couvent, nulle âme, nul corps aussi, hélas, que Dieu ne l'ait convoquée par son nom, instruite, commandée, désignée, par son nom, conduite par la main, et quelquefois forcée et prise pour lui. Il faut une vocation. Il faut que Dieu l'ait destinée. Nommée. Alors aussi Dieu leur a révélé, sans doute, Dieu doit leur avoir dit de ce que nous ne savons pas, de ce que nous ignorons nous autres. Dieu doit leur avoir fait des révélations particulières.

HAUVIETTE

Il n'y a point de révélations particulières. Il n'y a qu'une révélation pour tout le monde ; et c'est la révélation de Dieu et de Notre-Seigneur-Jésus-Christ. De Dieu par lui-même et par Notre-Seigneur-Jésus-Christ. C'est une révélation pour tous les bons chrétiens, pour tous les chrétiens, même pour les mauvais, et pour les pécheurs, pour tous les bons paroissiens. Pour tout homme et toute femme, pour toute personne de la paroisse. On fait savoir aux personnes de la paroisse. Qu'il y a promesse de salut... Entre Dieu et sa créature. On fait assavoir. Quand on sonne, quand on bat le ban de moisson, on le bat pour tout le monde, pour tous les moissonneurs. Et après la moisson quand on bat le ban de glanage, on le bat pour tout le monde, le ban de glanée, pour toutes les glaneuses, pour toutes les pauvres femmes qui vont glaner, ramasser les épis dans les champs, les épis qui sont tombés des gerbes. Quand on bat le ban de vendange, on le bat pour tout le monde, pour tous les vendangeurs. Et après la vendange, quand on bat le ban de grappillage, on le bat pour toutes les pauvres bonnes femmes qui vont grappiller, pour toutes les vieilles bonnes femmes qui vont ramasser ce qui reste sur le bois, et qui n'était pas encore bien mûr au temps de la vendange. Tout ce qui était encore un peu vert, un peu verduret. Or il y a quatorze siècles que l'on a fait battre le ban du salut. Pour toutes les paroisses. Pour toutes les personnes de toutes les paroisses. C'est la révélation commune. La révélation chrétienne. La révélation paroissiale. Le bon Dieu a appelé tout le monde, il a convoqué tout le monde, il a nommé tout le monde. Sa Providence pourvoit. Sa Providence prévoit. Sa Providence veille sur tout le monde, voit sur tout le monde, voit pour tout le monde. Il a vue sur tout le monde. Il conduit tout le monde par la main. Il nous a toutes désignées. Nous sommes toutes entrées au couvent de chrétienté. Nous nous sommes toutes réfugiées au grand couvent, de chrétienté. Dieu nous a toutes instruites, convoquées, il nous a toutes commandées. Nous sommes tous de la maison, de la même maison, et c'est Dieu qui conduit toute la maisonnée. Il nous a toutes appelées par notre nom, qui est notre nom de baptême. Il nous a toutes fait la même révélation, qui est que nous irons en paradis si nous vivons en bons chrétiens. Il nous a toutes fait la même vocation, d'aller à notre tour en paradis si nous vivons en bons chrétiens. Il n'y en a point qui communiquent avec Dieu de plus près que les autres. Toute parole d'homme et de femme, du père, de la mère et des enfants arrive directement aux oreilles de Dieu, toute prière humaine, toute prière chrétienne arrive, monte directement à l'oreille de Dieu. Toute parole des lèvres, toute parole du cœur. Et vous autres, les grandes, celles qui avez commencé, vous autres qui avez fait votre première communion, vous voyez, vous mangez directement le bon Dieu, vous vous nourrissez directement de Dieu.

(Jeanne baisse la tête.)

Et il n'y a pas plus près que de toucher. Il n'y a pas plus près que la nourriture. Que l'incorporation, que l'incarnation de la nourriture.

La prière est la même pour tout le monde. Les sacrements sont les mêmes pour tout le monde.

Nous aussi nous avons été appelées par le baptême, par notre baptême, pour être des bonnes chrétiennes, pour être des chrétiennes. Et nous avons aussi été appelées pour être des bonnes filles, et pour faire plaisir à nos père et mère, et pour nous occuper de nos petits frères et de nos petites sœurs, et tout ce qu'il faut faire dans la sainte journée.

JEANNETTE

Madame Gervaise est au couvent : les saintes et les saints fondateurs. Il y a eu tellement de grands saints, et de si grands saints, à la fondation des couvents, que toute leur sainteté doit se reporter, se reverser particulièrement sur ceux qui sont appelés dans leurs couvents.

HAUVIETTE

Notre-Seigneur-Jésus-Christ est le premier des saints et le premier des fondateurs. Il est le plus grand saint et le plus grand fondateur. Et toute sa sainteté se reporte, se reverse sur tout ce qui se nomme chrétien.

Sur tout ce qui est appelé chrétien.

Tout son mérite, toute sa sainteté se déverse éternellement.

JEANNETTE

Les mérites, les grands mérites des saintes et des saints fondateurs doivent travailler plus particulièrement pour les filles et les fils que la vocation leur a faites.

HAUVIETTE

Les mérites de Notre-Seigneur-Jésus-Christ, qui sont les plus grands des mérites, qui sont des mérites sans fin, travaillent ensemble pour toute la chrétienté.

Pour nous tous, pour nous autres qui sommes ses filles et ses fils.

Qui sommes ses frères et ses sœurs.

Toutes ses filles et tous ses fils, tous ses frères et toutes ses sœurs que le baptême lui a faits.

Que la vocation du baptême lui a faits.

Il y a la communion des saints ; et elle commence à Jésus. Il est dedans. Il est à la tête. Toutes les prières, toutes les épreuves ensemble, tous les travaux, tous les mérites, toutes les vertus ensemble de Jésus et de tous les autres saints ensemble, toutes les saintetés ensemble travaillent et prient pour tout le monde ensemble, pour toute la chrétienté, pour le salut de tout le monde. Ensemble.

Je suis une petite Française qui voit clair ; et je ne laisse pas dire. Je suis une petite Lorraine qui voit clair.

JEANNETTE

Madame Gervaise est au couvent : elle doit savoir pourquoi le bon Dieu permet qu'il y ait tant de souffrance.

Tant de souffrance et tant de perdition.

HAUVIETTE

Est-ce que tu sais bien comment Gervaise est allée au couvent ?

JEANNETTE

Oui : madame Colette, qui est une sainte, a passé par ici. Elle a converti Gervaise avec trois de ses amies.

HAUVIETTE

Sa mère a beaucoup pleuré dans ce temps-là.

Jeannette, Jeannette, si nous en faisions tous autant.

Notre-Seigneur-Jésus-Christ n'a pas été au couvent. Il n'a pas vécu dans un couvent. Il a vécu chez son père et chez sa mère, comme un garçon. Il était charpentier ; de son état. Et après il ne s'est pas retiré. Au contraire il est allé pendant trois ans faire sa prédication publique.

JEANNETTE

Je voulais voir madame Colette, mais elle a beaucoup d'âmes à sauver. Alors j'ai dit à mon oncle d'aller trouver madame Gervaise à Nancy.

D'aller chercher madame Gervaise.

HAUVIETTE

Depuis qu'elle est au couvent, sa mère est seule et s'ennuie et pleure et fait peine à voir.

JEANNETTE

Elle est venue aussitôt, et je l'attends ce matin.

HAUVIETTE

La dernière fois qu'il y a eu des soldats, sa mère s'est sauvée dans l'île avec nous ; seulement il n'y avait personne, avec elle, pour emporter ses affaires ; moi, je ne pouvais pas l'aider, lui porter ses affaires, puisqu'il y avait maman, qui avait besoin de moi. Ma pauvre Jeannette, ma pauvre Jeannette, alors elle se sauvait comme une pauvre vieille bonne femme toute seule. C'était affreux, c'était affreux. On en pleurait. Ça crevait le cœur, c'était une pitié. Mais on ne pouvait rien y faire. Elle baissait le dos, en courant. Je la vois encore. C'était honteux. On aurait eu envie d'y prêter des enfants. Aussi, après ça, alors quand elle est revenue, chez elle, quand elle est rentrée dans sa maison, elle n'a plus rien trouvé du tout de tout ce qu'elle avait avant : les soldats avaient tout volé, tout brûlé. On avait honte pour elle.

Elle se sauvait comme une pauvre vieille bonne femme de grand mère qui n'aurait pas d'enfants.

(Un silence bref.)

En vérité madame Gervaise a mal choisi son temps pour délaisser le monde et pour sauver son âme...

(Un silence.)

Écoute, Jeannette. Il ne faut pas faire comme elle et fuir au couvent pour sauver son âme à soi. Il ne faut pas sauver son âme comme on sauve un trésor.

JEANNETTE

Hélas, hélas pourtant c'est le plus grand trésor.

C'est le seul trésor.

HAUVIETTE

Il faut donc la sauver comme on perd un trésor. En la dépensant. Il faut se sauver ensemble. Il faut arriver ensemble chez le bon Dieu. Il faut se présenter ensemble. Il ne faut pas arriver trouver le bon Dieu les uns sans les autres. Il faudra revenir tous ensemble dans la maison de notre père. Il faut aussi penser un peu aux autres ; il faut travailler un peu (les uns) pour les autres. Qu'est-ce qu'il nous dirait si nous arrivions, si nous revenions les uns sans les autres.

JEANNETTE

Alors tu y tiens ? à ce que nous en fassions, ensemble, des digues et des levées de terre, avec la terre et la boue du fleuve, avec le sable, devant ce fleuve de perdition ?

HAUVIETTE

Voyons, Jeannette, il ne faut pas te fâcher. Tu as raison. Le mieux, si on pouvait, ce serait de tuer la guerre, comme tu dis.

JEANNETTE

La partie n'est pas égale. Il a fallu Jésus pour faire le salut, il a fallu Jésus et tous les saints.

HAUVIETTE

Les autres saints.

JEANNETTE

Vingt siècles, je ne sais combien de siècles de prophètes. Quatorze siècles de chrétienté. Il ne faut qu'un instant pour faire damner une âme. Il ne faut qu'un instant pour une perdition.

C'est toujours la même chose, la partie n'est pas égale. La guerre fait la guerre à la paix. Et la paix naturellement ne fait pas la guerre à la guerre. La paix laisse la paix à la guerre. La paix se tue par la guerre. Et la guerre ne se tue pas par la paix. Puisqu'elle ne s'est pas tuée par la paix de Dieu, par la paix de Jésus-Christ, comment se tuerait-elle par la paix des hommes ?

Par une paix d'homme.

HAUVIETTE

Tu as raison, ma grande, tu as raison. Le mieux, si on pouvait, ce serait de tuer la guerre, comme tu dis. Mais pour tuer la guerre, il faut faire la guerre ; pour tuer la guerre, il faut un chef de guerre ; riant comme de la plaisanterie la plus énorme, comme de l'imagination la plus invraisemblable et ce n'est pas nous ? n'est-ce pas ? qui ferons la guerre ? ce n'est pas nous qui serons jamais des chefs de guerre ? Alors nous, en attendant qu'on ait tué la guerre, il nous faut travailler, nous, chacun de son côté, chacun de son mieux, à garder sauf tout ce qui n'est pas encore gâté.

Chacun de notre côté.

JEANNETTE

Ces soldats, ces soldats qui ne servent qu'à perdre. Encore, dans le temps, il y avait du monde qui servait à tout. Tantôt ils sauvaient et tantôt ils perdaient. Mais à présent ils perdent tout le temps. Dans le temps, il y avait des métiers, ils avaient chacun son métier ; et dans les métiers des fois ils servaient à perdre, mais des fois ils servaient à gagner. Et à présent on perd tout le temps. Ces hommes qui en font métier. Comment peut-on imaginer pareille misère, pitié pareille. Mon Dieu, mon Dieu, comment pouvez-vous, comment permettez-vous cela ? Des hommes qui ont un métier ; et ce métier, c'est de toujours perdre, c'est de faire, c'est d'opérer la perdition des âmes.

HAUVIETTE

Jeannette, écoute-moi bien :

Voilà bientôt cinquante ans passés, au dire des anciens, que le soldat moissonne à sa fantaisie ; voilà bientôt cinquante ans passés que le soldat écrase, ou brûle, ou vole, à sa guise, la moisson mûre ; et pour le moins qu'il foule au pied des chevaux la moisson mûre. Eh bien ! après tout ce temps-là, tous les ans, à l'automne, les bons laboureurs, ton père, le mien, tes deux grands frères, les pères de nos amies, toujours les mêmes, les mêmes paysans, les mêmes paysans français, labourent avec le même soin les mêmes terres, à la face de Dieu, les terres de là-bas, et les ensemencent. Voilà ce qui garde tout. Les maisons démolies, on les rebâtit. Les églises, les églises mêmes, les paroisses démolies, on les rebâtit. La paroisse n'a jamais chômé. Et avec tous ces embroussaillements le culte, le culte de Dieu n'a jamais chômé. Voilà ce qui garde tout. Ce sont des bons chrétiens. La messe n'a jamais chômé ; ni les vêpres ; ni aucun office ; ni aucun service de

Dieu. Et ils n'ont jamais manqué de faire leurs Pâques, au moins une fois par an. Voilà ce qui garde tout. Le travail. Le travail du bon Dieu. Ils n'auraient, eux aussi, qu'à se faire soldats ; ça n'est pas difficile : on reçoit moins de coups, puisqu'on en donne aux autres. Une fois soldats, ils n'auraient, eux aussi, qu'à faire la moisson sans avoir fait les semailles. Mais les bons laboureurs aiment les bons labours et les bonnes semailles...

(Comme se reprenant :)

Écoute, je ne voudrais pas dire une bêtise. Mais au fond je crois bien qu'ils aiment tout de même autant le labour et les semailles que la moisson. Ils aiment autant au fond labourer que moissonner et semer que récolter, parce que tout cela c'est le travail, le même travail, le même sacré travail à la face de Dieu.

Au fond ils ne veulent pas moissonner sans avoir labouré, récolter sans avoir semé. Ça ne serait pas juste. Ça ne serait pas dans l'ordre du bon Dieu.

Tous les ans ils font à la même époque la même besogne avec la même vaillance, tout le long de l'année le même travail avec la même patience : voilà ce qui tient tout, ce qui garde tout ; ce sont eux qui tiennent tout, eux qui gardent tout, eux qui sauvent tout ce que l'on peut sauver ; c'est par eux que tout n'est pas mort encore, et le bon Dieu finira bien par bénir leurs moissons.

Moi je suis comme eux. Si j'étais à la maison occupée à filer mon peson de laine, ou ça revient au même si j'étais à jouer aux boquillons, parce que ce serait l'heure de jouer ; et si on venait me dire, si quelqu'un accourait : Hauviette, Hauviette, c'est l'heure du jugement, l'heure du jugement dernier, dans une demi-heure l'ange va commencer à sonner de la trompette...

JEANNETTE

Malheureuse, malheureuse, de quoi oses-tu parler ?

HAUVIETTE

Je continuerais à filer ma laine et ça revient au même je continuerais à jouer aux boquillons...

JEANNETTE

Hauviette, Hauviette...

HAUVIETTE

Parce que le jeu des créatures est agréable à Dieu. L'amusement des petites filles, l'innocence des petites filles est agréable à Dieu. L'innocence des enfants est la plus grande gloire de Dieu. Tout ce que l'on fait dans la journée est agréable à Dieu, pourvu naturellement que ça soit comme il faut. Tout est à Dieu, tout regarde Dieu, tout se fait sous le regard de Dieu ; toute la journée est à Dieu. Toute la prière est à Dieu, tout le travail est à Dieu : tout le jeu aussi est à Dieu, quand c'est l'heure de jouer. Je suis une petite Française, je n'ai pas peur de Dieu, parce qu'il est notre père. Mon père ne me fait pas peur. La prière du matin et la prière du soir, l'Angelus du matin et l'Angelus du soir, les trois repas par jour et le goûter de quatre heures et l'appétit aux repas et le Benedicite avant les repas, le travail entre les repas et le jeu quand il faut et l'amusement quand on peut, prier en se levant parce que la journée commence, prier en se couchant parce que la journée finit et que la nuit commence, demander avant, remercier après, et toujours de la bonne humeur, c'est pour tout ça ensemble et pour tout ça l'un après l'autre que nous avons été mis sur terre, c'est tout ça ensemble, tout ça l'un après l'autre qui fait la journée du bon Dieu. Si tout à l'heure on me disait : Tu sais, Hauviette, c'est pour dans une demi-heure...

JEANNETTE

Ma petite Hauviette, ma petite Hauviette.

HAUVIETTE

Je continuerais à filer, si je filais, et à jouer, si je jouais. Et en arrivant je dirais au bon Dieu : Notre père, qui êtes aux cieux, je suis la petite Hauviette, de la paroisse de Domremy en Lorraine ; pour vous servir ; de votre paroisse de Domremy dans votre Lorraine de chrétienté. Vous nous avez rappelés un peu de bonne heure, vu que je n'étais encore qu'une toute petite fille. Mais vous êtes un bon père et vous savez ce que vous faites.

(Un silence.)

Je suis une petite Française têtue. Jamais on ne me fera croire qu'il faut avoir peur du bon Dieu ; qu'on peut avoir peur du bon Dieu.

Quand je suis sur la route et que mon père me rappelle, pour me faire rentrer à la maison, je n'ai pas peur de mon père.

(Un silence.)

Je suis comme eux. Nous sommes leurs filles. Il faut moins de force pour abattre un bonhomme que pour abattre un chêne. Il faut moins de peine, il est plus facile d'être soldat que d'être bûcheron, il est plus facile d'être soldat que d'être paysan ; il est plus facile, il est plus agréable, à ce qu'il semble, du moins on le dit, on dirait, il semblerait qu'il est plus agréable d'être bourreau que d'être victime. C'est un fait extraordinaire pourtant, c'est une des plus grandes preuves, c'est une des plus grandes marques de la bonté de Dieu qu'avec ça il y ait toujours autant de paysans que de soldats, autant de martyrs que de bourreaux ; autant de paysans qu'il en faut, autant de martyrs, autant de victimes qu'il en faut ; toujours autant des uns et des autres ; c'est la plus grande preuve qu'il y ait de la présence de Dieu parmi nous, qu'on a beau faire, qu'on dirait qu'on fait tout ce qu'on peut pour rendre certains métiers impossibles, pour décourager certains métiers, et qu'il y en ait toujours autant dans ces métiers-là, autant qu'il en faut pour faire marcher le monde. Et qu'on ne peut pas décourager les paysans, et qu'on ne peut pas décourager les victimes et les martyrs. Et que les soldats se lasseront avant les paysans, et que les bourreaux se lasseront avant les victimes et les martyrs.

On croit, on pourrait croire qu'il vaut mieux être à la place du bourreau qu'à la place de la victime, à la place du bourreau qu'à la place du martyr. Il faut croire que c'est une erreur.

JEANNETTE

Voilà bientôt cinquante ans passés, Hauviette, que les bons laboureurs prient le bon Dieu pour le bien des moissons ; voilà huit ans passés que moi petite je le prie de toutes mes forces pour le bien des moissons. Madame Gervaise est au couvent : elle doit savoir pourquoi le bon Dieu n'exauce pas les bonnes prières.

HAUVIETTE

Je suis une bonne chrétienne. Je suis une bonne Française. Pour que le bon Dieu bénisse les moissons, Jeannette, il faut d'abord que nous ayons fait les semailles ; c'est pour cela que nous commençons par les faire tous les ans. Puis, quand la terre bien prête est bien ensemencée, nous faisons nos prières pour que le soldat ne vienne pas, pour que le blé nouveau naisse et pousse en moisson. Pour que la moisson croisse et que le blé foisonne. Nous, c'est tout ce que nous pouvons faire, c'est tout ce que nous avons à faire : le reste au bon Dieu ; nous sommes dans sa main ; il est le maître ; il nous exauce à sa volonté.

JEANNETTE

Dieu nous exauce de moins en moins, Hauviette : Les voyageurs qui passent n'apportent plus que des nouvelles mauvaises. Les Anglais tiennent enserré le mont de monsieur saint Michel, et voici que le blé, qui manquait pour le pain, va manquer pour semer.

HAUVIETTE

C'est affaire au bon Dieu : nos blés sont à lui. Quand j'ai bien fait ma tâche et bien fait ma prière, il m'exauce à sa volonté ; ce n'est pas à nous, ce n'est à personne à lui en demander raison. Vraiment, Jeannette, il faut que tu aies une grande souffrance pour oser ainsi demander compte au bon Dieu.

Lui demander raison. Lui chercher des raisons.

Toi-même, tu travailles bien. Tu travailles comme tout le monde. Tu travailles mieux que moi. Tu travailles mieux que personne. Tu files la laine ; la laine, seule utilité. Tu en fais plus que moi. Ce matin tu en auras fait plus que moi. Je cause et en même temps je ne fais rien. Tu causes et en même temps tu travailles.

Fille inquiète, âme insatiable, âme inquiète, si tu crois ce que tu dis, alors au moins ne travaille pas.

JEANNETTE

Il est vrai : j'ai une grande souffrance de toute cette perdition ; mais je souffre encore une souffrance, une souffrance inconnue, au delà de tout ce que tu pourrais imaginer.

HAUVIETTE

Tu la diras sans doute à madame Gervaise, ta souffrance nouvelle ?

JEANNETTE

Je ne sais pas.

(Un silence.)

HAUVIETTE

Au revoir, ma belle, à tout à l'heure. (Montrant le chemin qui vient du bourg.) Elle va venir par ici. (Montrant le chemin qui s'en va par la droite à flanc de coteau.) Moi je m'en vais par ici. J'ai affaire par ici. Je ne sais pas comment que ça se fait. J'ai toujours affaire ailleurs. Je ne sais pas. Je ne l'ai jamais rencontrée, cette personne-là. J'ai toujours affaire ailleurs. Ailleurs qu'où elle est. Il y a comme ça des hasards dans l'existence. Aussi, ça m'étonne, je ne l'ai jamais rencontrée.

Par ici. Par là.

C'est honteux. C'est affreux. Sa mère à présent en veut au bon Dieu. Sa mère est jalouse du bon Dieu. Sa mère fait des reproches au bon Dieu. Elle reproche au bon Dieu de lui avoir volé sa fille. C'est une impiété, une impiété comme on n'en avait jamais vu. Qui n'a pas de nom. Sa mère a dit ça, que le bon Dieu était un voleur.

Qu'il lui avait volé sa fille.

Une impiété qui n'a pas de nom.

À quoi que ça a abouti, tout ça.

J'aime encore mieux penser à tes deux nourrissons. Le bon Dieu leur enverra peut-être de retrouver, demain, du monde comme toi. Quoique tu as raison. Du monde comme toi, si il y en a, il n'y en a guère. Si il y en a, il y en a pas beaucoup.

Au revoir. L'appétit aux repas. L'appétit aux prières.

(Elle sort.)

JEANNETTE

(Un long silence.)

Mon Dieu, mon Dieu, qu'est-ce qu'il y a donc ? De tout temps, hélas, dans tous les temps on s'est perdu ; mais depuis quarante ans hélas on ne fait plus que cela, on ne fait plus que de se perdre. Qu'est-ce qu'il y a, mon Dieu, qu'est-ce qu'il y a. Il y en avait encore qui se sauvaient. Il y en avait qui en réchappaient. Mais maintenant, mon Dieu, qui répondrait qu'il y en a qui se sauvent, qui répondrait qu'il y en a quelques-uns seulement, même seulement, même au moins, qui en réchappent. C'était la terre, hélas, quelquefois, souvent c'était la terre qui préparait à l'enfer. Aujourd'hui ce n'est plus même cela ; ce n'est plus la terre qui prépare à l'enfer. C'est l'enfer même qui redéborde sur la terre. Qu'est-ce qu'il y a donc, mon Dieu, qu'est-ce qu'il y a donc de changé, qu'est-ce qu'il y a donc de nouveau. Qu'avez-vous fait de ce peuple, de votre peuple chrétien. Faudra-t-il que vous ayez envoyé votre fils en vain et sera-t-il dit que Jésus sera mort en vain, votre fils qui est mort pour nous. Sera-t-il dit que vous n'aurez point fait cesser la grande pitié qui est au royaume de France.

(Un silence.)

Jésus, Jésus, un jour sur une montagne de ce pays-là, vous avez eu pitié du peuple, vous avez pleuré sur cette foule, et cette foule avait faim et pour la nourrir, pour apaiser la faim de son corps, pour rassasier sa faim charnelle vous avez multiplié les poissons et les pains.

Jésus, Jésus, Jésus, aujourd'hui votre peuple a faim et vous ne rassasiez pas votre peuple. Aujourd'hui dans ce pays-ci votre peuple d'aujourd'hui, dans votre Lorraine de chrétienté, dans votre France de chrétienté, dans votre chrétienté votre peuple de chrétienté a faim. Il manque de tout. Il manque du pain charnel. Il manque du pain spirituel. Et pour le nourrir, pour lui rassasier son une et l'autre faim, pour lui donner le pain de son corps et le pain de son âme, sera-t-il dit que vous ne seriez plus parmi nous. Sera-t-il dit que vous ne multipliez plus, que vous ne multiplierez pas les poissons secs et les pains.

Vous ne pleurerez pas sur cette multitude.

(Un silence.)

(En vision.)

Heureux ceux qui l'ont vu passer dans son pays ; heureux ceux qui l'ont vu marcher sur cette terre ; ceux qui l'ont vu marcher sur le lac temporel ; heureux ceux qui l'ont vu ressusciter Lazare. Quand on pense, mon Dieu, quand on pense que cela n'est arrivé qu'une fois. Quand on pense, mon Dieu, quand on pense. Quand je pense que c'était un homme comme tous les autres, un homme ordinaire ; apparemment comme tous les autres, apparemment ordinaire. Il marchait sur la route comme un homme ordinaire ; ses pieds portaient par terre ; et il montait les sentiers du coteau. Jérusalem, Jérusalem, tu as été plus bénie que Rome. En vérité, en vérité, tu as été plus favorisée, Jérusalem, tu as été plus fortunée. Un homme comme les autres. Et toi, Nazareth, petit bourg, petite ville de Judée, tu es plus heureuse que Reims et que Saint-Denis. Et toi, Bethléem, petit bourg de Juda, le plus petit des bourgs de Juda, le plus brillant des bourgs de Juda, tu brilleras éternellement aussi au dessus de tous les bourgs de la terre, tu brilleras éternellement au dessus de tous les bourgs de la chrétienté, éternellement infiniment au dessus de nos bourgs obscurs, de nos petites paroisses chrétiennes. Qui connaîtra jamais cette petite paroisse de Domremy. Qui saura jamais seulement le nom de cette petite paroisse de Domremy. Qui saura seulement qu'elle a jamais existé.

Et toi, Bethléem, terre de Juda, tu n'es pas la moindre entre les principales villes de Juda ; car c'est de toi que sortira le Conducteur qui paîtra Israël, mon peuple.

Mais vous, paroisses chrétiennes, paroisses lorraines, paroisses françaises, vous avez été moins favorisées. Les plus grandes de vous, les plus saintes parmi vous, les plus pleines, les plus bourrées de sainteté d'entre vous, les plus grandes en sainteté de vous toutes n'ont rien eu qui approchât, même d'indéfiniment loin, de ce qui a été donné à ce petit bourg perdu. Vous Chartres, ville unique du pays de France, cathédrale unique au monde, Chartres, diocèse, ville unique au royaume de France, Chartres, qui êtes dévouée à notre Dame, Chartres qui êtes dévouée, dédiée, donnée à notre Dame, Chartres qui êtes vouée, qu'est-ce que vous êtes, Chartres, grande ville, en comparaison de ce petit bourg. Et vous aussi, vous n'êtes rien, vous-même Saint-Michel, bourg unique, ville unique au monde, unique en toute chrétienté, basilique du monde. Et vous, Tours, ville de Loire, ville de saint Martin, qui fûtes capitale des Gaules, qui en ce pays-ci, au royaume de France, fûtes capitale des premières chrétientés. Métropole, ville mère, mère des autres villes. Vous toutes, qu'est-ce que vous êtes, grands diocèses, grandes villes, grandes paroisses, qu'est-ce que vous êtes auprès de ce petit bourg, au prix de ce bourg obscur, qui hélas hélas, n'est peut-être plus même une paroisse, une paroisse chrétienne. Et vous, les tours de Notre-Dame, Paris, qui fûtes capitale du royaume de France, doublement dévouée, doublement dédiée, doublement donnée, vouée doublement, et aussi à vous, notre Dame, et à notre grande sainte Geneviève ; qu'est-ce que vous êtes. Et vous aussi, Orléans, vous enfin, vous n'êtes rien, Orléans ville de Loire, dédiée à ce grand saint Aignan. Grandes villes, villes illustres, villes de chrétienté, vous avez de grands saints et de grands patrons, les plus saints, les plus grands patrons du monde, et au dessus de tous les saints vous êtes patronnées, vous avez la sainte Vierge notre Dame. Vous avez donné le jour et vous avez donné l'exercice à de grands saints et éternellement ils veilleront sur vous, éternellement ils vous patronneront, car éternellement assis à la droite ils prieront pour vous. Éternellement ils vous protégeront, éternellement ils vous couvriront de leurs prières. Or vous n'êtes rien, villes chrétiennes, grandes villes, résidences de chrétienté, chaires, cathédrales de sainteté, vous n'êtes rien. Car tout a été pris, une fois pour toutes ; et rien n'est plus à prendre. Tout a été pris, tout ce qui compte, une fois pour toutes, un jour pour éternellement. Et il ne reste plus rien, mes enfants, rien à prendre, de ce qui compte. Car je vous le dis en vérité : ce petit bourg perdu a tout pris, un jour, une fois dans le temps ; une fois dans l'éternité ; une fois pour toutes, une fois pour toutes les fois ; un jour, furtif, il a tout pris pour éternellement tout ce qui compte. Et vous, grandes villes, villes chrétiennes, qu'est-ce qui vous reste. Qu'est-ce que vous êtes. Car vous vous attardez à produire des saintes et des saints, et pendant ce temps-là Jésus est le saint de cette paroisse-là, qui n'est peut-être plus, hélas, une paroisse. Chrétienne. Même une paroisse. D'autres ont saint Loup et saint Gratien ; d'autres ont saint François ; d'autres ont notre Dame même. Vous autres, gens du pays picard, vous en avez d'autres ; et d'autres aussi, vous autres gens du pays de Bourges. Et vous, Nancy, ville proche, paroisses prochaines, vous autres, vous gens de Nancy, vous avez le grand saint Nicolas. Vous Toul, notre diocèse, vous avez ce que vous avez. (Accentuant de se tourner vers l'église.) Et vous, ma paroisse, vous avez le grand saint Rémi. Mais où allez-vous, paroisses. Pendant ce temps-là Jésus, Jésus même est le propre saint, le saint, le patron de cette paroisse-là. Pendant que vous vous attardez. Vous vous attardez à produire des saintes et des saints, des saintes et des saints ordinaires, mon Dieu, et pendant ce temps-là, pendant qu'on ne se méfiait pas, sans qu'on ait averti personne en ce pays-ci, pendant qu'on n'y prenait pas garde, sans que nos pères et nos grands-pères en ce pays-ci aient reçu aucun avertissement, et pourtant c'étaient de si braves gens, un petit bourg est venu, qui avait déjà tout emporté. Il a été donné à cette paroisse ce qui n'a jamais été donné à vous, paroisses de France, ce qui jamais, éternellement jamais ne sera donné à nulle autre paroisse. À aucune paroisse. Pendant qu'on ne s'y attendait pas. Car ça a été fait, ça s'est fait une fois pour toutes, un jour dans le temps, dans ce pays-là, une fois pour toutes les fois, dans l'éternité une fois pour éternellement, de toute éternité pour toute éternité. Et il est venu dans la nuit comme un voleur. Et jamais plus on ne recommencera. Vous vous attardez, paroisses vous vous attardez à produire des saintes et des saints les plus grands. Et pendant ce temps-là, sans avertir, sans prévenir personne, une petite paroisse de rien du tout avait enfanté le saint des saints. D'un seul coup, du premier coup, elle était arrivée, elle avait enfanté le saint des saints. Dans un éclair elle avait réussi, elle avait fait ce qui ne se refera jamais plus, elle avait fait, enfanté celui qui éternellement ne s'enfantera plus. Et comme vous autres, paroisses, vous avez pour patrons saint Crépin et saint Crépinien, tout de même, Bethléem, tu as pour patron saint Jésus. D'autres ont saint Marceau et saint Donatien ; et Rome a saint Pierre. Mais toi, Bethléem, petite paroisse obscure, petite paroisse perdue, toi, maline, tu as saint Jésus, et nul ne pourra te l'enlever éternellement jamais. Car il est ton propre patron, comme saint Ouen est le patron de Rouen. Car c'est ce saint-là que tu as mis au monde ; un jour du monde que tu as mis au monde. Tu as produit ce saint-là, tu as enfanté ce saint-là. Et nous autres nous ne sommes que des petites gens.

Et il n'y aura plus que de petites gens, depuis qu'une paroisse est venue, qui a tout pris pour elle.

Avant même qu'on ait commencé.

Il n'y aura plus jamais, éternellement jamais, que des petites gens.

(Un silence.)

Heureuse celle qui versa sur ses pieds le parfum de l'amphore, celle qui versa sur sa tête le parfum du vase d'albâtre, à Béthanie, dans la maison de Simon, surnommé le lépreux ; sur ses pieds, sur ses vrais pieds, sur son corps charnel, sur sa tête réelle, sur la tête de son corps ; heureuses toutes et tous, heureux pêle-mêle, pécheurs et saints. Il a été accordé, mon Dieu, aux pécheurs de ce temps-là, aux pécheurs de ce temps et de ce pays-là ce que vous avez refusé, mon Dieu, ce qui n'a pas été accordé aux saints, ce que vous n'avez pas accordé à vos saints de tous les temps. Il a été donné aux plus grands pécheurs d'alors et de là ce qui n'a pas été donné aux plus grands saints des plus grands siècles. Ce qui n'a pas été donné depuis : jamais. À personne. Heureuse celle qui d'un mouchoir, d'un vrai mouchoir, d'un mouchoir pour se moucher, d'un mouchoir impérissable, essuya cette face auguste, sa vraie face, sa face réelle, sa face d'homme, d'un blanc mouchoir blanc, cette face périssable ; sa face pitoyable ; et de le voir alors, dans cet état, le sauveur du genre humain, de le voir ainsi, lui, le sauveur de tout le genre humain, quel cœur insensible ne se fût amolli, quels yeux, quels yeux humains n'eussent versé des larmes ; cette face de sueur, toute en sueur, toute sale, toute poussiéreuse, toute pleine de la poussière des chemins, toute pleine de la poussière de la terre ; la poussière de sa face, la commune poussière, la poussière de tout le monde, la poussière sur sa face ; collée par la sueur. Heureuse Madeleine, heureuse Véronique ; heureuse sainte Madeleine, heureuse sainte Véronique, vous n'êtes pas des saintes comme les autres. Tous les saints sont saints, toutes les saintes sont saintes, mais vous vous n'êtes pas des saintes comme les autres. Tous les saints, toutes les saintes sont assis avec Jésus à la droite du Père. Tous les saints, toutes les saintes contemplent Jésus assis à la droite du Père. Et il y a, dans le ciel il a son corps d'homme, son corps humain glorieux, puisqu'il y est monté, tel que, le jour de l'Ascension. Mais vous autres, vous seuls, vous avez vu, vous avez touché, vous avez saisi ce corps humain dans son humanité, dans notre commune humanité, marchant et assis sur la terre commune. Vous seuls, vous l'avez vu par terre. Vous seuls, vous l'avez vu deux fois, et non pas une seulement ; non pas une fois seulement, comme tous les autres, dans votre éternité ; non pas seulement la deuxième fois, qui dure éternellement ; mais une première fois, une fois antérieure, une fois terrestre ; et c'est cela qui ne fut donné qu'une fois, c'est cela qui n'a pas été donné à tout le monde. Il y a plusieurs classes de saints, il y en a deux, et vous êtes de la première classe, et nous tous tous les autres, pécheurs et saints, nous ne sommes tous après que des ouvriers de la onzième heure ; et les saints mêmes, les autres saints dans le ciel, ils ne sont, après, désormais ils ne sont que des saints de la onzième heure. Car ils ne le voient que dans l'éternité, où on a le temps, et vous vous le voyez aussi dans l'éternité ; et vous l'aviez vu, vous l'avez vu sur la terre, où l'on n'a pas le temps. Histoire unique, histoire terrestre, qui passa si vite, qui ne recommencera point. Mystère effrayant, vous avez approché ce mystère effrayant. Villes cathédrales, vous n'avez point vu cela. Vous enfermez dans vos églises cathédrales des siècles de prière, des siècles de sacrements, des siècles de sainteté, la sainteté de tout un peuple, montant de tout un peuple, mais vous n'avez pas vu cela. Et eux ils l'ont vu. Tous ils l'ont vu, sans se déranger, ceux qui étaient là et ceux qui étaient venus, ceux qui étaient venus exprès et ceux qui n'étaient pas venus exprès ; les bergers, les mages, et l'âne, et le bœuf qui soufflait dessus pour le réchauffer. Il était à portée de la voix, il était à portée de la main, il était à portée des yeux, du regard des yeux, et cela ne recommencera point. Reims, vous êtes la ville du sacre. Vous êtes donc la plus belle ville du royaume de France. Et il n'y a pas de cérémonie plus belle au monde, il n'y a pas dans le monde de cérémonie aussi belle que le sacre du roi de France, dans aucun pays. Mais d'où venez-vous, ville de Reims, que faites-vous, cathédrale de Reims. Qui êtes-vous. Une étable, dans ce bourg perdu, une pauvre étable, dans ce pauvre petit bourg de Bethléem, une étable a vu naître une royauté qui ne périra pas, une simple étable, une royauté qui ne disparaîtra point dans les siècles des siècles, jamais, une étable a vu naître un roi qui régnera éternellement. Dans ce pays-là. Voilà ce qu'ils font dans ce pays-là. Et le roi de France, qui est le plus grand roi du monde, fait des entrées solennelles, il fait dans Reims une entrée solennelle, et rien n'est plus beau que l'entrée du roi dans Reims, rien n'est plus beau au monde, rien dans le monde n'est aussi beau, dans tout le monde ; et vingt rois de France ont fait dans Reims, dans la cathédrale de Reims vingt entrées solennelles, vingt entrées somptueuses. Mais vous, Jérusalem, vous êtes plus heureuse ; vous êtes heureuse entre toutes les villes ; vous êtes infiniment plus grande, et plus heureuse, et plus honorée. Vous avez reçu un honneur infiniment plus grand. Vous êtes heureuse par dessus la tête de toutes les villes, car il est entré dans vos murs, monté sur l'ânon d'une ânesse ; et cela ne recommencera point ; et le peuple de ce pays-là jetait des palmes et des feuilles, des rameaux et des fleurs sous les pieds de l'ânesse. D'autres paroisses ont vu naître, ont fait naître, ont produit d'autres saints. Mais ces paroisses-là elles ont vu naître, elles ont fait naître, elles ont produit le grand saint, le saint des saints : quelle élection. Pendant que vous vous amusez, paroisses chrétiennes, à faire des saintes et des saints, une paroisse s'était levée de bonne heure. Elle s'était levée avant tout le monde. Et elle avait produit le saint qu'on ne refera point. Heureux celui qui se trouva là, juste au moment où il fallait porter sa croix, l'aider à porter sa croix, une lourde croix, sa vraie croix, cette lourde croix de bois, de vrai bois, sa croix de supplice, une lourde croix bien charpentée. Comme pour tout le monde, pour tous les autres suppliciés du même supplice. Un homme qui passait par là, sans doute. Ah il avait bien pris son temps, celui-là, cet homme qui passait par là, juste à ce point, juste alors, juste à ce moment-là. Cet homme qui passait juste là. Combien d'hommes depuis, des infinités d'hommes dans les siècles des siècles auraient voulu être là, à sa place, avoir passé, être passés là juste à ce moment-là. Juste là. Mais voilà, il était trop tard, c'était lui qui était passé, et dans l'éternité, dans les siècles des siècles il ne donnerait pas sa place à d'autres ; et eux, les tard venus, ils ont été forcés de se rabattre sur d'autres croix, de s'exercer, de faire des exercices, de se rabattre à porter d'autres croix. De s'en fabriquer, eux-mêmes, d'autres croix. De s'en faire fabriquer. Artificiellement. Cela ne revient pas au même. Un homme de Cyrène, nommé Simon, qu'ils contraignirent de porter la croix de Jésus. Il n'a plus besoin, aujourd'hui, qu'on le contraigne d'avoir porté la croix de Jésus. Heureux surtout, heureux celui, et lui aussi il ne donnerait pas sa place à un autre, lui non plus, heureux celui qui pourtant ne le vit qu'une fois. Heureux celui, heureux surtout, heureux sur tous, le plus heureux de tous, heureux celui qui le vit dans le temps, et qui pourtant ne le vit qu'une fois. Heureux celui qui le vit dans le temple ; et ensuite ; car cela suffisait ; fut rappelé comme un bon serviteur. C'était un vieil homme de ce pays-là ; un homme qui approchait du soir et qui touchait au soir, au dernier soir de sa vie. Mais il ne vit pas se coucher son dernier soir sans avoir vu se lever le soleil éternel. Heureux cet homme qui prit l'enfant Jésus dans ses bras, qui l'éleva dans ses deux mains, le petit enfant Jésus, comme on prend, comme on élève un enfant ordinaire, un petit enfant d'une famille ordinaire d'hommes ; de ses vieilles mains tannées, de ses vieilles mains ridées, de ses pauvres vieilles mains sèches et plissées de vieil homme. De ses deux mains ratatinées. De ses deux mains toutes parcheminées.

Et voici qu'il y avait un homme en Jérusalem, nommé Siméon, et cet homme juste et craignant (Dieu), attendant la consolation d'Israël, et l'Esprit saint était en lui. Et il avait reçu réponse de l'Esprit saint, qu'il ne verrait point la mort, qu'il n'eût vu avant le Christ du Seigneur.

Et il vint dans l'esprit dans le temple. Et comme l'enfant Jésus y entrait, conduit par ses parents, pour qu'ils fissent pour lui selon la coutume de la loi ;

Et lui-même le prit dans ses bras, et bénit Dieu, et dit :

Maintenant tu laisses aller ton serviteur, Seigneur, selon ta parole, en paix.

Parce que mes jeux ont vu ton salutaire,

Que tu as préparé devant la face de tous les peuples ;

Lumière pour la révélation des nations, et gloire de ton peuple d'Israël.

Et son père et sa mère étaient en admiration sur ce qu'on disait de lui.

Attendant la consolation d'Israël ; et la consolation est venue ; et la consolation n'a point suffi. La consolation est venue, et la consolation n'a point consolé.

La consolation n'a pas consolé Israël ; et elle n'a pas consolé votre chrétienté non plus, ô mon Dieu.

Attendant la consolation d'Israël ; depuis cinquante ans, mon Dieu, depuis quatorze siècles, depuis cinquante ans nous attendons la consolation de votre chrétienté.

Attendant la consolation d'Israël ; du royaume d'Israël ; jusqu'à quand, ô mon Dieu, attendrons-nous la consolation du royaume de France ; la consolation de la grande pitié qui est au royaume de France.

La consolation est venue ; et elle n'a pas consolé assez ; elle n'a pas consolé suffisamment.

Mais lui, ce vieillard, ce vieillard de ce pays-là, on ne sait pas qu'il ait plus rien vu ensuite. Et heureux il ne connut plus aucune histoire. Heureux, le plus heureux de tous, il ne connut plus nulle autre histoire de la terre.

Il pouvait se vanter, celui-là aussi, de s'être trouvé au bon endroit. Il avait tenu, car il avait tenu, dans ses faibles mains, le plus grand dauphin du monde, le fils du plus grand roi ; roi lui-même, le fils du plus grand roi ; roi lui-même Jésus-Christ ; dans ses mains il avait élevé le roi des rois, le plus grand roi du monde, roi par dessus les rois, par dessus tous les rois du monde.

Il avait tenu dans ses mains la plus grande royauté du royaume du monde.

Et il ne connut plus nulle autre histoire de la terre. Car au soir de sa vie, au soir de sa journée, d'un seul coup, du premier coup il avait connu la plus grande histoire de la terre.

Et aussi la plus grande histoire des cieux.

La plus grande histoire du monde.

La plus grande histoire de jamais.

La seule grande histoire de jamais.

La plus grande histoire de tout le monde.

La seule histoire intéressante qui soit jamais arrivée.

Ainsi tout un chacun pouvait vous approcher. Et ce vieil homme, au soir de sa vie, vous a embrassé comme un petit enfant ordinaire. Il vous a sûrement embrassé. Comme un vieillard, comme les vieilles gens aiment à embrasser les enfants, les petits, les tout petits enfants. Mais vous, flèche de Chartres, nef d'Amiens, où allez-vous. Que faites-vous, qui êtes-vous, d'où venez-vous. Vous n'êtes rien. Et vous flèche de Chartres et tombeaux de Saint-Denis, saintetés du royaume de France, vous n'êtes rien. Et dans ce petit pays, dans ce petit bourg, dans cette petite paroisse on a vu ce qu'on n'a pas vu à Château-Thierry ; dans cette autre petite paroisse de ce pays-là, où il n'y a peut-être pas même une église, à présent ; aujourd'hui ; on y a vu ce qu'on n'a jamais vu à Château-Thierry. Une autre paroisse s'était levée de plus bonne heure. Comment s'y sont donc pris, mon Dieu, les gens de ce temps-là et de ce pays-là, les gens d'alors, les gens de là. Que vous ont donc fait, que vous avaient donc fait les hommes de ce temps-là et de ce pays-là. Quel mystère, quel effrayant mystère. Quel mystère effrayant. Ils n'eurent qu'à s'approcher de ce mystère effrayant. Ceux qui se trouvèrent juste à point. Sans rien faire pour cela ils eurent, ils ont eu ce qui a été refusé ; forcément ; puisque ça n'a eu lieu qu'une fois ; naturellement, ça ne pouvait avoir lieu qu'une fois. Ce qui n'a pas été donné aux plus grands saints des autres temps et des autres pays. Ils n'eurent qu'à s'approcher de ce mystère effrayant. Les derniers de ce temps et de ce pays-là ont eu ce que les premiers de nous, les plus saints, les plus grands saints parmi nous n'auront éternellement jamais. Quel mystère, mon Dieu, quel mystère. Quand on pense, quand on pense, il fallait être là, il suffisait d'être né juste là, dans ce temps et dans ce pays. Mon Dieu, mon Dieu vous avez donné à vos bourreaux ce qui fut refusé à tant de vos martyrs. Le soldat romain qui vous perça le flanc eut ce que tant de vos saints, tant de vos martyrs n'ont pas eu. Il eut de vous toucher. Il eut de vous voir. Il eut sur terre un regard de votre miséricorde. Il eut sur terre un regard de vos propres yeux. Heureux ceux qui buvaient le regard de vos yeux ; heureux ceux qui mangeaient le pain de votre table ; et Judas, Judas même a pu vous approcher. Heureux ceux qui buvaient le lait de vos paroles. Heureux ceux qui mangèrent, un jour, un jour unique, un jour entre tous les jours, heureux d'un bonheur unique, heureux ceux qui mangèrent un jour, un jour unique, ce jeudi saint, heureux ceux qui mangèrent le pain de votre corps ; vous-même consacré par vous-même ; par une consécration unique ; un jour qui ne recommencera donc jamais ; quand vous-même vous dîtes la première messe ; sur votre propre corps ; quand vous célébrâtes la première messe ; quand vous vous consacrâtes vous-même ; quand de ce pain, devant les douze, et devant le douzième, le treizième, vous fîtes votre corps ; et quand de ce vin, vous fîtes votre sang ; ce jour que vous fûtes ensemble la victime et le sacrificateur, le même la victime et le sacrificateur, l'offrande et l'offertoire, le pain et le panetier, le vin et l'échanson ; le pain et celui qui donne le pain ; le vin et celui qui verse le vin ; la chair et le sang, le pain et le vin. Cette fois que vous fûtes le prêtre et qu'ils étaient les fidèles, cette fois que vous fûtes le prêtre opérant, sacrifiant pour la première fois. Cette fois que vous fûtes l'invention du prêtre, le premier prêtre opérant, sacrifiant pour la première fois. Et vous étiez tout ensemble le prêtre et la victime. Cette fois que vous fîtes le premier sacrifice. Que vous fûtes le premier sacrifié, la première hostie. La première victime. Quand on pense, mon Dieu, quand on pense que vous étiez là, qu'il n'y avait qu'à s'approcher de vous, mystère effrayant ; et qu'il n'y avait qu'à s'approcher de ce mystère effrayant. Non, quand on pense que c'est arrivé une fois. Qu'on a vu ça sur la terre. Que tout un chacun pouvait vous toucher, pasteur visible, les bonnes femmes, les enfants, les mendiants des routes. Et que vous parliez comme un simple homme qui parle. Que vous avaient-ils donc fait, mon Dieu, ces gens-là, pour être honorés de cet honneur, favorisés, fortunés, bénis, graciés de cette grâce. Et vous Juifs, peuple de Juifs, peuple des Juifs, mon Dieu mon

Dieu, que vous avait donc fait ce peuple ; pour que vous l'ayez ainsi préféré à tous les peuples ; pour que vous l'ayez ainsi fait passer avant tous les peuples ; pour que vous l'ayez ainsi mis par dessus ; au dessus de tous les peuples ; par dessus la tête ; au dessus de la tête de tous les peuples. Que vous ont-ils donc fait, que vous a-t-il donc fait pour être votre élu ? Pour que vous l'ayez, ainsi, comblé de cette grâce ; pour que vous l'ayez ainsi préféré à tous les autres, élu parmi tous les autres au dessus de tous les autres. Pour que vous l'ayez illustré d'un tel éclat, d'un éclat éternel. Pour que de siècle en siècle, et je compte d'abord les siècles de la terre, vous ayez pris en lui, parmi lui la lignée des prophètes, la race des prophètes. De siècle en siècle, de marche en marche, de génération en génération, d'ascension en ascension la lente ascension, la lignée des prophètes, la race des prophètes. Quel peuple, mon Dieu, ne se fût estimé heureux, quel peuple parmi tant de peuples, quel peuple parmi les innombrables peuples, d'être votre peuple ; quel peuple n'eût voulu être à leur place ; peuple élu ; race élue, quelle race n'eût voulu être la race élue ; votre race ; élue parmi tant d'autres ; parmi toutes les races ; parmi les innombrables autres ; au dessus des autres ; par dessus les têtes de toutes les innombrables autres ; quel peuple n'eût demandé à être votre peuple ; quel peuple n'eût joui d'être votre peuple ; élu, de quelle élection ; à n'importe quel prix, mon Dieu, à n'importe quel prix temporel, fût-ce au prix de cette dispersion. Vous avez choisi, vous avez trié, vous avez pris parmi eux, d'ascension en ascension vous avez pris parmi eux la longue lignée, la haute, la montante lignée des prophètes ; et comme une cime le dernier de tous ; le dernier des prophètes, le premier des saints ; Jésus qui fut juif, un juif parmi vous ; race qui reçûtes la plus grande grâce ; et celle qui fut refusée à tout le peuple chrétien ; mystère de la grâce ; race élue ; ce qui n'a pas été donné aux plus grands saints ; aux plus grands saints du peuple chrétien, vous l'avez eu ; et non seulement sur terre ; mais dans le ciel même et pour ainsi dire encore plus dans le ciel ; car vous autres, saints chrétiens, grands saints de la chrétienté, dans votre éternité vous ne contemplez Jésus que dans sa gloire ; et vous autres, Juifs, singuliers Juifs, peuple singulier, peuple unique, peuple premier, vous autres, vous l'avez considéré dans sa misère. Vous l'avez considéré une fois pour toutes, la fois qui comptait. Et sa misère était votre misère. Sa misère propre était votre misère propre. C'était un Juif, un simple Juif, un Juif comme vous, un Juif parmi vous. Vous l'avez connu comme on dit d'un homme : Je l'ai connu dans le temps. Et pendant ce temps-là nos aïeux, nos grands-pères païens, nos grands-pères paysans, nos pères et les pères de nos pères dans ce pays-ci continuaient de travailler la terre ; ils continuaient de travailler ce pays-ci ; tout continuait comme toujours, tout continuait comme si de rien n'était ; ils continuaient de travailler la vigne et le blé, mais ni cette vigne ni ce blé n'avaient encore servi à aucune consécration ; ni ce pain ni ce vin n'avaient encore été consacrés ; les femmes continuaient à cuire le pain ; mais c'était un pain uniquement temporel, un pain de blé temporel, un pain du blé de la terre ; un pain uniquement pour la faim du corps ; et le vin aussi était uniquement un vin de la vigne de la terre ; les filles gardaient les moutons, les filles continuaient de filer la laine ; tous innocents, mais tous païens, tous laborieux. Hauviette, ils travaillaient déjà, ils ne cessaient de travailler. Ils continuaient. C'étaient de bonnes gens, c'étaient de pauvres gens, mais ils ne savaient pas. Ils ne travaillaient que d'un travail temporel. Ils ne travaillaient que d'un travail de la terre. Ils ne savaient pas ce qui se préparait. Ils ne se doutaient pas, les bonnes gens, de la bonne nouvelle qui était arrivée, qui arrivait dans le pays des Juifs. Ils ne soupçonnaient pas. Et ils ne furent avertis qu'un peu de temps après. Alors aussi, nous autres, nous sommes frères de Jésus dans notre éternité. Et dans notre temps nous fûmes ses frères, nous sommes ses frères en Adam, en notre père Adam ; nous sommes frères de Jésus dans notre humanité. Mais vous, Juifs, vous fûtes ses frères dans sa famille même. Frères de sa race et de la même lignée. Sur vous-mêmes il versa des larmes uniques. Sur vous-mêmes il pleura sur cette multitude. Vous avez vu la couleur de ses yeux ; vous avez entendu le son de ses paroles. De la même lignée pour éternellement. Vous avez entendu le son même de sa voix. Comme des petits frères vous vous êtes acouflés dans la chaleur, dans la tiédeur de son regard. Vous vous êtes abrités, vous vous êtes couverts à l'abri de la bonté de son regard. Sur vous-mêmes il eut pitié sur cette foule. Jésus, Jésus, nous serez-vous jamais ainsi présent. Si vous étiez là, Dieu, ça ne se passerait tout de même pas comme ça. Ça ne se serait jamais passé comme ça.

MADAME GERVAISE

(En vision à elles deux.)

Il est là.

Il est là comme au premier jour.

Il est là parmi nous comme au jour de sa mort.

Éternellement il est là parmi nous autant qu'au premier jour.

Éternellement tous les jours.

Il est là parmi nous dans tous les jours de son éternité.

Son corps, son même corps, pend sur la même croix ;

Ses yeux, ses mêmes yeux, tremblent des mêmes larmes ;

Son sang, son même sang, saigne des mêmes plaies ;

Son cœur, son même cœur, saigne du même amour.

Le même sacrifice fait couler le même sang.

Une paroisse a brillé d'un éclat éternel. Mais toutes les paroisses brillent éternellement, car dans toutes les paroisses il y a le corps de Jésus-Christ.

Le même sacrifice crucifie le même corps, le même sacrifice fait couler le même sang.

Le même sacrifice immole la même chair, le même sacrifice verse le même sang.

Le même sacrifice sacrifie la même chair et le même sang.

C'est la même histoire, exactement la même, éternellement la même, qui est arrivée dans ce temps-là et dans ce pays-là et qui arrive tous les jours dans tous les jours de toute éternité.

Dans toutes les paroisses de toute chrétienté.

Que ce soit en Lorraine et que ce soit en France,

Tous les bourgs sont brillants à la face de Dieu,

Tous les bourgs sont chrétiens sous le regard de Dieu.

Juifs, vous ne connaissez pas votre bonheur ; Israël, Israël, vous ne connaissez pas votre bonheur ; mais vous aussi, chrétiens, vous ne connaissez pas aussi votre bonheur ; votre bonheur présent ; qui est le même bonheur.

Votre bonheur éternel.

Israël, Israël, vous ne connaissez point votre grandeur ; mais vous aussi, chrétiens, vous ne connaissez pas votre grandeur ; votre grandeur présente ; qui est la même grandeur.

Votre grandeur éternelle.

(Montrant tous les bourgs, les paroisses, les clochers de la vallée, Domremy, Maxey, Vaucouleurs, et en eux et au delà d'eux tous les bourgs, toutes les paroisses, tous les clochers de la chrétienté.)

Tous les bourgs sont aimés sous le regard de Dieu,

Tous les bourgs sont chrétiens, tous les bourgs sont sacrés,

Tous les bourgs sont à Dieu sous le regard de Dieu.

(Comme s'apercevant enfin l'une l'autre.)

JEANNETTE

Bonjour, madame Gervaise.

MADAME GERVAISE

Bonjour, ma fille. Que Jésus le Sauveur sauve à jamais ton âme.

JEANNETTE

Ainsi soit-il, madame Gervaise. Mon oncle vous a dit que je voulais vous voir ?

MADAME GERVAISE

Oui, ma fille, et j'ai pensé que tu étais malheureuse.

JEANNETTE

Hélas.

MADAME GERVAISE

Dieu nous conduit, mon enfant, Dieu nous conduit par la main. Nous sommes dans la main de Dieu. Nous ne faisons rien que Dieu n'y consente et ne le veuille. C'est Dieu, c'est Dieu même qui ce matin m'a conduit vers vous.

JEANNETTE

Ainsi soit-il, madame Gervaise.

MADAME GERVAI5E

Dieu m'a conduit vers toi parce que tu es malheureuse. On s'imagine ici, dans la paroisse, que tu es heureuse de ta vie parce que tu es bonne chrétienne, parce que tu es bonne paroissienne, parce que tu es pieuse ; parce que tu as bien fait ta première communion ; parce que tu vas bien à la messe et aux vêpres ; parce que tu vas souvent à l'église ; et que dans les champs tu te mets à genoux au son lointain des cloches calmes.

JEANNETTE

Hélas.

MADAME GERVAISE

Je sais, moi, que tout cela ne suffit pas. J'ai pensé que tu étais malheureuse, toi aussi, et c'est pour cela que je suis venue tout de suite.

(Un silence.)

Je sais. Je sais que tu as consommé au contraire toute la tristesse d'une âme chrétienne. Et c'est une tristesse infinie.

(Un silence.)

J'ai passé par là. Les saintes et les saints, toutes les saintes et tous les saints ont passé par là. C'est la condition même, c'est la dure condition, c'est la dure loi, c'est le dur apprentissage de la sainteté. J'ai passé par là aussi, moi aussi, moi indigne. Tu y passes à ton tour. Chacun son tour. Chacun son heure. Dieu nous travaille quand il veut. Dieu nous travaille chacun notre tour. Tu n'es pas la première. Tu ne seras pas la dernière.

JEANNETTE

(Comme une attaque. Brusquement.)

Savez-vous, madame Gervaise, que les soldats partout vont à l'assaut des bourgs et forcent les églises ?

MADAME GERVAISE

(D'abord comme en défense forcée.)

Je le sais, ma fille.

JEANNETTE

Savez-vous qu'ils font manger l'avoine à leurs chevaux sur l'autel vénérable ?

MADAME GERVAISE

Je le sais, ma fille. Et ils ont dit que ça faisait une bonne mangeoire, une mangeoire très commode et juste à hauteur pour la tête des chevaux.

JEANNETTE

Et qu'ils disent des horreurs à la Sainte Vierge, à notre mère la Sainte Vierge ; et qu'ils injurient, et qu'ils blasphèment Jésus en croix.

Et l'on dit même qu'une fois ils ont souffleté Jésus en croix.

MADAME GERVAISE

Ce n'est pas le premier soufflet qu'il a reçu. Et nos péchés le soufflettent outrageusement tous les jours.

Nos péchés l'outragent et le soufflettent tous les jours.

JEANNETTE

Savez-vous, madame Gervaise, et que le bon Dieu me pardonne à jamais d'avoir osé vous dire ces paroles, savez-vous que les soldats boivent dans les très saints calices le vin qui les soûle ?

MADAME GERVAISE

Je le sais, ma fille.

JEANNETTE

Faut-il, mon Dieu, faut-il vous dire encore cela. Faut-il pour finir...

MADAME GERVAISE

... Pour consommer cette détresse...

JEANNETTE

Faut-il avoir à vous dire encore cela ? Savez-vous qu'ils font ripaille avec les très saintes hosties consacrées ?

MADAME GERVAISE

Toutes les saintes, tous les saints ont passé par là. Nous indignes, nous infimes, nous petites nous y passons. J'y ai passé, tu y passes, nous y passerons tous. Et pourtant nous autres nous sommes de petites gens.

JEANNETTE

Le sang de Jésus, le vase, le calice qui tient le sang de Jésus.

MADAME GERVAISE

Ils démolissent les maisons ; ils démolissent les églises.

Une maison démolie, une maison bâtie ; une maison démolie, la même maison rebâtie ; une maison démolie, une autre maison bâtie ; une ancienne maison démolie, nous bâtirons, nous rebâtirons toujours des maisons nouvelles ; les pierres de la terre ne nous manqueront jamais pour bâtir des maisons nouvelles, des maisons terrestres nouvelles ; et nos bras ne manqueront jamais, nos bras ne nous manqueront pas pour bâtir des maisons temporelles, pour édifier des maisons de cette terre.

Qu'importe, nous rebâtirons toujours assez de nouvelles maisons.

Nous bâtirons assez de maisons temporelles.

JEANNETTE

Le sang de Jésus, le sang de Jésus.

MADAME GERVAISE

Ils démolissent nos maisons ; quand ils démoliraient tout nous avons, s'il plaît à Dieu, nous aurons dans la maison de notre père une maison que les soldats ne démoliront jamais.

JEANNETTE

Le corps de Jésus, le corps de Jésus. Qu'ils profanent le pain et le vin, le corps et le sang de Jésus.

MADAME GERVAISE

Nous avons d'autres maisons que les maisons que nous avons. Nous avons des maisons que les soldats n'atteindront pas.

Une maison que les soldats ne démoliront point.

Nous avons d'autres maisons, nous avons d'autres maisons.

Il y a d'autres maisons que la maison de notre père. Il y a un autre père que notre propre père. Dieu nous a préparé, Jésus nous a gagné d'autres demeures, Jésus nous a gagné des demeures éternelles.

Nous avons un autre père que le père que nous avons.

JEANNETTE

Le corps de Jésus, le corps sacré de Jésus.

MADAME GERVAISE

Ils démolissent les églises. Nous en rebâtirons toujours. Nous rebâtirons toujours des églises de pierre.

Il y a un autre père que notre père.

Nous rebâtirons toujours des églises temporelles. Nous édifierons toujours des églises périssables.

Mais il y a une Église qu'ils n'atteindront pas. Il y a une Église de Dieu qu'ils n'atteindront pas. Il y a une Église dans le ciel, dans le ciel de Dieu. Il y a une Église éternelle. Qu'ils n'atteindront jamais.

Les saints sont acquis pour toujours, les saints sont saints pour toujours, pour éternellement toujours. Rien ne peut plus perdre les saints. Jésus est acquis pour toujours, Jésus est saint, il est Jésus pour toujours, pour éternellement toujours. Et dans le ciel de Dieu il y a un corps de Jésus que les doigts des mains pécheresses ne toucheront plus jamais, éternellement plus jamais.

Un corps de Jésus que les doigts des mains pécheresses ne profaneront plus jamais.

JEANNETTE

Le corps de Jésus. Faire servir au péché même le corps même, le corps sacré de Jésus.

MADAME GERVAISE

Il y a une autre Église que toutes les églises (les montrant) de la Meuse et de la Lorraine, que Domremy et Maxey, que Vaucouleurs et

Nancy, que Reims et que Rouen, que Paris et que Rome. Il y a une Rome céleste. Il y a une Jérusalem céleste. Il y a une autre Église que toutes les églises de la terre. Il y a une autre Église que toutes les églises de la chrétienté même. Il y a une Église que les mains pécheresses ne démoliront, ne souilleront éternellement jamais. Il y a une autre Église que toutes les églises de la terre de la chrétienté.

JEANNETTE

Encore quand ces soldats romains osaient toucher votre corps périssable, votre impérissable corps, au moins ils ne savaient pas que vous étiez le fils de Dieu. Mais ceux-ci, des chrétiens, des soldats chrétiens, baptisés dans leurs paroisses par les curés de leurs paroisses par les soins de leur père et de leur mère assistés de leurs parrain et marraine, ceux-ci vous outragent, connaissant qui vous êtes ; ceux-ci vous profanent, sachant qui vous êtes, profanent votre corps. En vérité, mon Dieu, ils ne savent qu'inventer, ils ne savent quel mal faire ; on commet à présent des péchés que l'on n'avait jamais commis. On ne sait pas quoi inventer.

Des péchés que l'on ne pourrait pas soupçonner.

MADAME GERVAISE

Je le sais, ma fille.

Et je sais que la damnation va comme un flot montant où les âmes se noient.

Et je sais que ton âme est douloureuse à mort, quand tu vois l'éternelle, la croissante éternelle damnation des âmes.

JEANNETTE

Savez-vous, madame Gervaise, que nous, qui voyons tout cela se passer sous nos yeux sans rien faire à présent que des charités vaines...

MADAME GERVAISE

Mon enfant, mon enfant, mon enfant, les charités ne sont jamais vaines.

JEANNETTE

... et sans vouloir tuer la guerre...

MADAME GERVAISE

Mon enfant, ma pauvre enfant, mon enfant, ma petite enfant, tu ne parles pas comme une petite fille, tu ne parles pas comme une petite chrétienne.

Surtout ne te mets pas en colère. C'est aussi un grand péché.

JEANNETTE

... sans rien faire à présent que des charités vaines, puisque nous ne voulons pas tuer la guerre, nous sommes les complices de tout cela ? Nous qui laissons faire les soldats, savez-vous que, nous aussi, nous sommes les tourmenteuses des corps et les damneuses des âmes. Nous aussi, nous-mêmes, nous souffletons Jésus en croix. Nous aussi, nous-mêmes, nous profanons le corps impérissable de Jésus.

(Un silence.)

Complice, complice, c'est comme auteur. Nous en sommes les complices, nous en sommes les auteurs. Complice, complice, c'est autant dire auteur.

Celui qui laisse faire est comme celui qui fait faire. C'est tout un. Ça va ensemble. Et celui qui laisse faire et celui qui fait faire ensemble, c'est comme celui qui fait, c'est autant que celui qui fait. (Comme se relevant.) C'est pire que celui qui fait. Car celui qui fait, il a au moins le courage de faire. Celui qui commet un crime, il a au moins le courage de le commettre. Et quand on le laisse faire, il y a le même crime ; c'est le même crime ; et il y a la lâcheté par dessus. Il y a la lâcheté en plus.

Il y a partout une lâcheté infinie.

Complice, complice, c'est pire qu'auteur, infiniment pire.

MADAME GERVAISE

Je sais, ma fille, que vous êtes, vous toutes, les damneuses des âmes. Et je sais que ton âme est douloureuse à la mort, de savoir qu'elle est complice du Mal universel ; complice et auteur, tu le confesses ; complice et auteur du Mal universel ; complice et auteur du Péché ; complice et auteur de cette universelle perdition,

et tu te sens désespérément lâche.

(Un silence.)

Mais ce n'est là rien encore.

Ce n'est rien.

(Un long silence.)

Ma fille, pardonne-moi les paroles que je vais t'oser dire ; je suis une pauvre femme ; j'en ai tant vu aussi, dans mon enfance, quand j'étais une petite fille. Comme toi. Comme tu es. Ils croient qu'ils ont tout dit quand ils ont dit : Elle est partie au couvent. On ne parle jamais assez. Et on ne parle jamais assez tôt. On n'en dit jamais assez à ses amis. Ni assez tôt. A plus forte raison à ses confidents. J'aime mieux t'offenser, et te servir ; devant Dieu ; que de ne point t'offenser, et de te trahir. Je dois t'offenser, s'il faut. Pardonne-moi les paroles que je vais t'oser dire ; après, je m'en irai, si tu le veux, sans te voir plus jamais.

(Un silence bref.)

Je sais aussi ta souffrance nouvelle ; je sais la souffrance qui te paraît effroyable au delà de toute souffrance, effrayante au delà de toute imagination même ; pourquoi tu m'as mandée ; pourquoi je suis venue.

(Un silence bref.)

Se mépriser soi-même, on se mépriserait encore soi-même, on s'y ferait, on s'y habituerait ; il est, il y a des habitudes pires : tu as connu que tous ceux-là sont lâches, que tu avais aimés... que tu as aimés...

(Un mouvement de Jeannette.)

Que tu aimes, que tu aimes, que tu aimes, ma fille, ma pauvre enfant.

(Ce mouvement de révolte tombe.)

Tu as raison, ma fille, ma pauvre enfant.

Mon enfant, mon enfant, on aime toujours. Mais d'aimer ceux que l'on méprise, c'est un grand bien. Mais de mépriser ceux que l'on aime, c'est la plus grande souffrance qu'il y ait.

Ceux que l'on voudrait honorer, que l'on doit honorer, que l'on veut honorer. Que l'on honore. Quand même.

C'est la plus grande bassesse et la plus grande indignité.

Tu as connu que tous ceux-là sont lâches, que tu avais aimés ; tu as connu que ton père est lâche ; que ta mère est lâche.

(Jeannette baisse la tête.)

Ton père, ce grand fort homme qui ne craint rien, fors Dieu, qui est un si bon chrétien ; ta mère, qui est une si bonne chrétienne, qui a fait les pèlerinages ; et tes frères, et ta grande sœur, et tes amies :

(Dans une évocation :)

Moi aussi j'ai eu des amies.

Moi aussi j'avais des amies.

(Repartant.)

Mengette, que j'ai vue ce matin ; Mauviette, qui ne veut pas me voir.

(Secouant la tête sur un geste de Jeannette.)

Je sais, je sais. (Sec, et en même temps très tristement.) Non, elle ne veut pas. Tu as connu qu'ils sont lâches tous, et complices du Mal universel ; complices, auteurs du Péché ; complices, auteurs de cette universelle perdition ; et qu'ils en sont donc responsables. Comptables. Responsables des âmes qui se damnent à ces âmes elles-mêmes, et responsables à Dieu, car les âmes sont à lui, et vous les laissez damner sans rien faire, et vous vous damnez vous-mêmes à laisser ainsi damner les âmes de Dieu.

(Un silence.)

Ainsi c'est ainsi une énumération et un déroulement sans fin de damnations, une explication des damnations sans fin ; un enchaînement, une danse affreuse des perditions ; l'une entraîne l'autre, infailliblement ; l'une entraîne l'autre dans une ronde infernale ; l'une tient l'autre par la main comme une sœur affreuse ; et elles se tiennent d'une main qui ne se lâchera jamais. L'une tient l'autre, l'autre tient l'une, l'une tient à l'autre et l'une renforce l'autre. Tous les jours inventions nouvelles. Tous les jours imaginations inconnues. Nouvelles damnations, redoublements de damnation, les cercles de l'enfer se déroulent au dessous des cercles.

(Un silence.)

Tu mens.

Depuis que tu as connu cela, tu es menteuse : Menteuse à ton père, menteuse à ta mère, à tes frères, à ta grande sœur, à tes amies, car tu fais semblant de les aimer, et tu ne peux pas les aimer. Et pourtant tu les aimes tout de même. Menteuse à toi-même, car tu veux te faire croire que tu les aimes, et tu ne peux pas les aimer. Et pourtant tu les aimes tout de même.

Tu ne les aimes pas et pourtant tu les aimes.

Tu les aimes tout de même. De quelle amour. Comment peux-tu les aimer. D'une amour mentie, d'une amour trahie et qui se trahit soi-même, qui se trahit perpétuellement soi-même, d'une amour faussée. Toute droiture est gauche désormais, toute droiture est gauchie à présent. Tu mens par le son de ta voix. Tu mens par le regard de tes yeux. Tout s'est à jamais faussé dans ton âme. Et tout s'est à jamais faussé dans ta vie : faussée l'amour filiale et faussée l'amour fraternelle ; l'amour filiale, le premier des biens ; après les biens de Dieu ; dans les biens de Dieu ; l'amour fraternelle, le premier des biens ; après les biens de Dieu ; dans les biens de Dieu ; l'amitié, le premier des biens ; après les biens de Dieu ; dans les biens de Dieu ; faussée l'amitié ; faussées tes amours familiales ; faussées tes amours amicales, faussées tes amitiés ; faussés tous tes sentiments : ta vie tout entière est menteuse et fausse. Et tu vis dans ta maison, parmi les tiens, et tu te sens plus irréparablement seule et malheureuse qu'une enfant sans mère.

(Un grand silence.)

Un espoir te restait. Tu venais sur tes douze ans. Dans cette grande détresse tu attendais au moins, tu te disais qu'elle finirait bientôt, car tu approchais de la communication du corps de Notre-Seigneur, tu touchais à la communication du corps de Notre-Seigneur, et la communication du corps de Notre-Seigneur guérit tous les maux.

(Un grand silence.)

L'heure est venue, l'heure attendue ; l'heure attendue, l'heure préparée de toute éternité.

L'heure que tu attendais depuis des jours et des jours, l'heure que tu attendais depuis ton baptême, l'heure que tu attendais de toute éternité. Depuis ton éternité.

Le jour est venu, le grand jour, tu as reçu communication du corps de Notre-Seigneur.

À ton tour, après des milliers et des milliers et des centaines de milliers d'autres, après des centaines et des milliers de milliers de chrétiennes ; à ton tour, chrétienne et paroissienne, comme tant et tant de chrétiennes, comme tant et tant de paroissiennes, comme tant de saintes mêmes, à ton tour tu as reçu le corps de Notre-Seigneur-Jésus-Christ, le même corps de Notre-Seigneur-Jésus-Christ.

Après quatorze siècles, à ton tour de recevoir. À ton tour d'approcher.

À ton tour tu reçus pour la première fois le corps de Notre-Seigneur-Jésus-Christ.

Jour attendu. Jour d'un deuil infini, car la communication du corps de Notre-Seigneur guérit tous les maux ; et tu te retrouvas le soir ; et tu étais seule ; et tu avais reçu le même corps, le même que les saints et que les saintes ont reçu ; et la communication du corps de Notre-Seigneur guérit tous les maux ; et Dieu était venu ; et le soir tu te retrouvas seule dans la même situation ; mais elle n'était pas la même, elle était infiniment pire ; tu te retrouvas dans la même souffrance ; elle n'était pas la même, elle était infiniment pire, elle était devenue infinie ; tu te retrouvas dans la même détresse ; la même, la même, hélas ; mais elle n'était pas la même ; elle était devenue infiniment pire, elle était devenue infinie ; elle était devenue autre ; car le plus grand médecin du monde était passé, et il n'y avait rien fait.

La même solitude. Dans la même solitude. Et elle n'était plus la même.

Ce n'était plus avant. C'était après. Au soir de ta journée. Avant c'était une grande détresse. Mais ce n'était qu'une grande détresse qui attendait le remède. Après c'était une grande détresse qui n'attendait plus le remède. C'était une grande détresse où le remède avait passé. En vain. La même détresse : une détresse autre, infiniment autre, infiniment pire ; infiniment éprouvée, infiniment vérifiée ; devenue infinie ; puisque le seul remède du monde était passé dessus ; et qu'il n'y avait rien fait.

De la même, partant de la même, restant la même, devenue autre, infiniment autre. Avant, après.

Car l'heure du soir est infiniment autre que la même heure du matin.

(Brusquement, presque brutalement :)

Enfin tu avais manqué ta première communion.

(Un silence.)

(Sombre :)

C'est presque pire que si on manquait le jour de son jugement et le jour de sa mort.

JEANNETTE

(Un long silence.)

C'est vrai.

Il est vrai que mon âme est douloureuse à mort ; je suis dans une détresse ; je n'aurais jamais cru que la mort de mon âme fût si douloureuse.

Tous ceux-là que j'aimais sont absents de moi-même.

MADAME GERVAISE

Même Dieu. C'est cela, tous.

JEANNETTE

Tous ceux que j'aimais sont absents de moi.

MADAME GERVAISE

La damnation c'est cela ; c'est cela la perdition même.

JEANNETTE

Tous ceux que j'aime sont absents de moi : c'est ce qui m'a tuée sans remède...

MADAME GERVAISE

Le seul remède qu'il y ait au monde est venu, et le seul médecin ; et le remède ne t'a rien fait ; le médecin ne t'a rien fait ; et le soir de ce jour tu t'es trouvée comme le matin...

JEANNETTE

Hélas.

MADAME GERVAISE

Ta vie est un mensonge perpétuel. Et pourtant tu avais béni ce matin-là ce jour qui se levait ; tu avais béni ce soleil qui se levait sur les côtes (les montrant en face)

sur les côtes lorraines, sur les cotes de la Meuse.

JEANNETTE

Hélas, hélas.

MADAME GERVAISE

La créature soleil sur la créature Meuse.

JEANNETTE

Tous ceux que j'aime sont absents de moi : c'est ce qui m'a tuée sans remède ; et je sens pour bientôt venir ma mort humaine.

Je n'irai pas loin. Je ne peux plus aller. Ma vie est toute creuse en dedans de moi.

MADAME GERVAISE

Malheur au cœur que le corps de Jésus n'a point empli ; malheur au cœur que le corps de Jésus n'a point rassasié.

JEANNETTE

Je ne peux plus, je ne peux plus aller.

Ô que vienne au plus tôt, mon Dieu, ma mort humaine.

Ô mon Dieu j'ai pitié de notre vie humaine où ceux que nous aimons sont à jamais absents.

MADAME GERVAISE

Enfant, ayez pitié de la perdition ; enfant, ayez pitié de la vie infernale où les damnés maudits, où les damnés perdus ont la pire souffrance : que Dieu même est absent de leur éternité.

JEANNETTE

Ô s'il faut, pour sauver de la flamme éternelle

Les corps des morts damnés s'affolant de souffrance,

Abandonner mon corps à la flamme éternelle,

Mon Dieu, donnez mon corps à la flamme éternelle ;

Mon corps, mon pauvre corps, à cette flamme qui ne s'éteindra jamais.

Mon corps, prenez mon corps pour cette flamme.

Mon chétif corps.

Mon corps qui vaut si peu, qui compte si peu.

Qui ne pèse pas lourd.

Mon pauvre corps qui a si peu de prix.

(Un silence.)

Et s'il faut, pour sauver de l'Absence éternelle

Les âmes des damnés s'affolant de l'Absence,

Abandonner mon âme à l'Absence éternelle,

Que mon âme s'en aille en l'Absence éternelle.

Mon âme à cette absence qui ne s'éteindra jamais.

MADAME GERVAISE

Taisez-vous, ma sœur : vous avez blasphémé : Dieu, dans sa miséricorde infinie, a bien voulu que la souffrance humaine servît à sauver les âmes ; je dis la souffrance humaine ; la souffrance terrestre ; la souffrance militante ; non pas sans doute la souffrance souffrante ; certainement non pas, nullement assurément la souffrance infernale.

(Comme se récriant d'une impossibilité ; d'une évidence :)

Alors ils ne seraient pas perdus, si leur souffrance n'était pas perdue. Alors ils auraient la même souffrance que nous, ce serait la même souffrance, que nous. Alors ils seraient comme nous.

Ils auraient la grâce.

Or ils ne sont pas comme nous. Il y a une différence. Elle est infinie. Il y a, il y a eu le jugement.

Autrement alors ils seraient comme nous. Il n'y a, il ne peut y avoir que deux sortes, il ne peut y avoir que deux races de souffrance : la souffrance qui n'est pas perdue, et la souffrance qui est perdue. De la souffrance qui n'est pas perdue nous sommes, ensemble avec Jésus-Christ ; notre souffrance est de la même sorte, elle est de la même race que la souffrance de Jésus-Christ ; notre souffrance n'est jamais perdue, quand nous le voulons.

De la souffrance qui n'est pas perdue nous sommes tous, quand nous le voulons de Jésus au dernier des chrétiens, quand nous le voulons.

De Jésus même au dernier des pécheurs.

Il y a, ailleurs il y a une souffrance qui est perdue ; qui est toute perdue ; qui est toujours perdue ; quand même on ne voudrait pas ; quoi qu'on veuille ; quoi qu'ils veuillent ; quoi qu'ils veuillent éternellement.

Quoi qu'ils fassent. Éternellement quoi qu'ils fassent.

C'est ça l'enfer. Autrement il n'y aurait pas d'enfer. Ça serait la même chose que nous ; ça serait la même chose partout.

Dans toute la création.

Si leur souffrance pouvait servir, mon enfant, ma pauvre enfant, ils seraient comme nous ; ils seraient nous ; il n'y aurait pas, il n'y aurait jamais eu de jugement. Si leur souffrance pouvait servir, sitôt qu'une souffrance peut servir, elle s'appareille, elle s'apparente, elle se lie à la souffrance de Jésus-Christ. Elle devient de la même race. Elle devient, aussitôt elle devient de la même sorte, de la même race, de la même famille que la souffrance de Jésus-Christ.

Elle devient la sœur de la souffrance de Jésus.

Elle devient de la souffrance en communion.

Il n'y aurait aucune différence.

Si leur souffrance servait, mon enfant, si elle pouvait servir, mais alors ils seraient dans la communion.

Or ils ne sont pas dans la communion.

Toute souffrance qui peut servir, toute souffrance qui sert est sœur de la souffrance de Jésus-Christ ; elle est fille de la souffrance de Dieu ; elle est la même que la souffrance de Jésus-Christ.

Il n'y aurait pas eu de jugement.

Il y a, ailleurs, il y a une souffrance qui ne sert pas, qui ne sert éternellement pas. Qui est toujours vaine, vide, qui est toujours creuse, toujours inutile, toujours stérile, toujours non appelée, toujours donc non élue, toute, toujours, éternellement toute, éternellement toujours, quoi qu'ils veuillent.

Quoi qu'ils fassent. Quoi qu'ils fassent éternellement.

Quoi qu'il y ait.

Apprenez, mon enfant, apprenez ce que c'est que l'enfer.

Là est la marque, là est la distinction, là est la différence. Elle est infinie.

Autrement, s'ils servaient, ils seraient comme nous. Ils seraient aussi heureux que nous. Ils seraient comme Jésus en croix. Mais nous seuls avons le droit d'être comme Jésus en croix. Nous seuls avons le droit d'être à l'image et à la ressemblance, à l'imitation de Jésus ; de souffrir à l'image et à la ressemblance ; à l'imitation de Jésus. Eux autres, les malheureux, ils n'ont pas même le droit d'être en croix.

Trop tard, trop tard, après il est trop tard.

Il y a sur terre, et c'est tout. Après ce n'est plus sur terre.

Il y a la souffrance de dessus terre, et après c'est tout.

Autrement ils ne seraient pas morts, ils ne seraient pas perdus, ils ne seraient pas damnés, ils ne seraient pas jugés.

Ils seraient des hommes comme nous ; ils seraient vivants, terrestres ; ils seraient des vivants ; ils seraient avant le jugement. Ils ne seraient pas après.

(Un silence.)

Ma fille, ma fille il y a beaucoup d'Églises ; dans l'Église. Mais il n'y en a qu'une. Il n'y a qu'une Église. Il y a plusieurs Églises. Il y a la militante, où nous sommes. Il y a la souffrante, où nous éviterons d'être ; s'il plaît à Dieu. Il y a la triomphante, où nous devons demander d'être. S'il plaît à Dieu. Mais il n'y a pas une Église infernale.

Il n'y a pas une Église d'enfer.

C'est insensé. C'est une imagination absurde. C'est inconcevable.

Toutes trois sont des Églises vivantes ; il n'y a pas, il ne peut pas y avoir une Église morte.

L'Église est essentiellement, substantiellement vivante. Elle reçoit de Dieu perpétuellement une vie, Jésus lui a promis une vie éternelle. Elle est naturellement, surnaturellement vivante. Il n'y a pas, il ne peut pas y avoir une Église morte.

Si leur souffrance pouvait servir, servait, ils seraient une Église, ils seraient dans l'Église.

Militante, souffrante, triomphante, toutes trois vivantes, il n'y a pas, il ne peut pas y avoir une Église morte.

(Un silence.)

Il y a l'Église militante ; nous en sommes ; c'est l'Église des soldats d'une certaine guerre ; nous en sommes ; tout le monde y passe, tout le monde y a passé ; nous savons ce que nous avons à y faire.

Nous y passons. Tout le monde y fait un service, un certain temps de service.

Un service qu'on ne recommence pas.

On ne rengage pas.

Après on se divise.

Il y a l'Église souffrante. Nous devons tâcher, nous devons demander de ne pas en être. C'est la loi ; c'est la règle. Pour eux, pour eux utilement nous pouvons, nous devons multiplier notre travail, nos prières, nos souffrances. Nos mérites, s'il est permis de dérober ce mot à Jésus-Christ. Aux seuls mérites. Aux mérites de Jésus-Christ. Là peuvent être nos pères et les pères de nos pères. Dieu ait leur âme. Travailler pour eux, prier pour eux, souffrir pour eux. Mériter pour eux. C'est la loi ; c'est la règle. Et on n'a pas besoin de nous le demander ; on n'a pas besoin de nous le commander. Ni de nous y forcer ni même de nous y engager. C'est notre mouvement, c'est notre mouvement propre ; c'est notre amour même ; c'est la communion même.

C'est le mouvement propre, le mouvement naturel de notre amour.

De notre amour humain, de notre amour familial, de notre amour filial.

Il y a l'Église triomphante. Nous devons tâcher d'en être. Il n'y a pas à s'en cacher. Il n'y a pas à faire le modeste. Nous devons tâcher, nous devons demander d'en être. C'est la loi ; c'est la règle. Commune. Nous devons les prier, et en attendant nous devons les prier pour les autres et pour nous, on n'a pas besoin de s'en cacher, les prier, pour les autres de la souffrante et pour les autres de la militante, pour les autres de la terre et pour nous et pour les autres d'ailleurs, leur demander leur intercession, leur demander d'intercéder pour les autres et pour nous, pour tous ceux de la souffrante et pour tous ceux de la militante. Pour être avec eux plus tard. Parmi eux. Pour être avec eux comme eux. Ce n'est pas seulement la loi et la règle. C'est aussi notre mouvement même. C'est aussi notre amour même. C'est aussi la communion même. C'est notre mouvement propre.

C'est le mouvement propre, le mouvement naturel de notre amour. Le mouvement de notre charité.

De notre amour humain, de notre amour familial, de notre amour filial. De notre charité.

Et il y a encore cette différence. Et elle est capitale. Et elle est tout. Que ceux de la souffrante sont sûrs d'y aller. Et que nous ne sommes sûrs de rien. Puisque nous sommes avant.

De rien du tout.

Puisque nous ne sommes pas encore décidés.

Pas encore dirigés.

Séparés.

Acheminés vers l'un des trois chemins.

Sur l'un des trois chemins.

Sur l'une des deux routes.

Telle est la communion, telle est la vie des trois Églises vivantes. Mais il n'y a point d'Église morte. Il n'y a pas une Église qui ne communierait pas.

Qui ne serait pas une Église, qui donc ne serait pas une Église. Il n'y a pas une Église morte.

(Un silence.)

Mon enfant, ma petite fille, le bon Dieu a fait des cadres. Il faut travailler, il faut prier, il faut souffrir dans les cadres que le bon Dieu nous a faits. Il veut bien accepter nos souffrances d'ici-bas pour sauver les âmes en danger. Mais il n'a pas voulu que la souffrance infernale servît à sauver les âmes ; il n'accepterait pas, pour sauver les âmes en danger, nos souffrances de là-bas. II n'y a pas une Église morte.

JEANNETTE

(Simplement :)

Alors il y a tant de souffrance perdue.

MADAME GERVAISE

Malheureuse, malheureuse enfant, comme tu parles.

JEANNETTE

Dans la création il y a tant de souffrance de créée de perdue.

MADAME GERVAISE

Il ne s'agit pas de souffrir. S'il ne s'agissait que de souffrir, qui ne souffrirait. Qui ne souffre.

(Un silence.)

Il y a une souffrance utile, et une souffrance inutile. Il y a une souffrance féconde, et une souffrance inféconde.

(Un silence.)

C'est pour cela que notre maître à tous...

JEANNETTE

Notre Seigneur, Notre Seigneur Jésus-Christ.

MADAME GERVAISE

Notre maître de maîtrise, de toute maîtrise, de l'une et l'autre maîtrise ; notre maître de seigneurie et notre maître d'enseignement ; notre maître de domination et notre maître d'apprentissage.

JEANNETTE

Notre Seigneur, Notre Seigneur Jésus.

MADAME GERVAISE

Il devait savoir, lui. C'était son métier. De sauver. C'était son office. Il devait savoir. Il est notre maître à sauver. C'est pour cela que notre maître à tous, le fils de l'homme savant à donner sa souffrance, a bien voulu donner pour sauver nos âmes toute souffrance, valable, et jusqu'à la valable souffrance de la tentation, mais qu'il n'est jamais allé jusqu'à donner la vaine souffrance même du péché. Le Sauveur a bien voulu donner toute la souffrance humaine ; c'était dans le contrat, c'était dans le pacte. Il s'était fait homme. Sa souffrance aussi s'était faite humaine, toute humaine. Mais il n'a pas voulu se damner ; et c'est insensé, c'est inconcevable, c'est absurde ; ce serait un blasphème, commettre un blasphème infini que d'avoir même cette imagination ; ce serait commettre un sacrilège inouï ; car il savait que sa souffrance infernale, même à lui, qu'une souffrance infernale de lui ne pourrait pas servir à nous sauver.

Non c'est fou, d'avoir cette pensée.

D'avoir même cette pensée. De se la voir passer seulement dans la pensée.

C'est une grande impiété. C'est une grande tentation. C'est plus qu'une impiété.

C'est une tentation incroyable.

Un blasphème effrayant.

JEANNETTE

Se peut-il qu'il y ait tant de souffrance perdue.

MADAME GERVAISE

C'est un mystère, enfant, (comme un aveu) le plus grand mystère de la création. C'est un plus grand mystère que l'Incarnation même et que la Rédemption, que le mystère de l'Incarnation et que le mystère de la Rédemption. Car la Passion de Jésus, au moins on voit à quoi que ça sert. Et toute l'Incarnation s'éclaire de toute la Rédemption.

JEANNETTE

S'il faut donc, pour sauver de la flamme éternelle

Les corps des morts damnés s'affolant de souffrance,

Laisser longtemps mon corps à la souffrance humaine,

Mon Dieu, gardez mon corps à la souffrance humaine ;

Et s'il faut, pour sauver de l'Absence éternelle

Les âmes des damnés s'affolant de l'Absence,

Laisser longtemps mon âme à la souffrance humaine,

Qu'elle reste vivante en la souffrance humaine.

MADAME GERVAISE

Taisez-vous, ma sœur : vous avez blasphémé :

Car si le fils de l'homme, à son heure suprême,

Cria plus qu'un damné l'épouvantable angoisse,

Clameur qui sonna faux comme un divin blasphème,

C'est que le fils de Dieu savait.

On se demande pourquoi il aurait poussé cet effroyable cri. Autrement on se demande.

Tous les textes sont formels, il a poussé à ce moment-là un cri effroyable.

Alors on se demande pourquoi il aurait poussé, à ce moment-là, ce cri effroyable.

C'était le contraire. Il devait être content.

C'était fini.

C'était fait.

Tout était consommé.

Sa passion était finie ; son incarnation était censément finie ; faite ; sa passion était consommée ; faite ; la rédemption était consommée. Faite.

Il n'y avait plus que cette formalité (pour lui) de la mort.

La rédemption était finie et couronnée ;

couronnée d'épines, la suprême couronne.

C'est à ce moment-là qu'il devait ; qu'il aurait dû être heureux.

Ô fils le plus aimé qui retrouvait son père ;

Fils de dilection qui remontait aux cieux ;

Fils entre tous les fils qui rentrait chez son père ;

Enfant prodigue, fils prodigue de son sang ;

Ô fils le plus aimé qui montait vers son père.

On se demande pourquoi il aurait crié à ce moment-là.

Il venait justement de commencer à finir.

Il avait accompli son temps d'humanité ;

Il quittait la prison pour le séjour de gloire ;

Il rentrait dans la maison de son père.

Comme un voyageur au soir du voyage,

Il avait accompli son voyage de terre ;

Il avait consommé son voyage de Jérusalem.

Comme un voyageur las au soir de son voyage,

Il voyait la maison.

Et comme un moissonneur au soir de sa journée,

Aux deux mains de son père il versait son salaire ;

Comme un moissonneur las au soir de sa moisson,

Aux deux mains de son père il versait son salaire,

Les âmes des justes qu'il avait rachetées,

Le salaire qu'il avait gagné si durement.

Les âmes des saints qu'il avait sanctifiées.

Les âmes des justes qu'il avait justifiées.

Et les âmes des pécheurs qu'il avait justifiés de l'une et de l'autre main.

Qu'il avait ramassés comme un épi tombé.

Qu'il avait justifiés par ses mérites

Les âmes des justes qu'il avait gagnées comme un travailleur à la journée.

Comme un pauvre journalier qui travaille dans les fermes.

Comme un pauvre ouvrier qui se dépêche de travailler.

Tout ce qu'il avait amassé.

Tout ce qu'il avait pu ramasser d'âmes en travaillant bien.

Une pleine brassée.

Tout ce qu'il pouvait tenir dans ses deux mains.

En ne perdant pas son temps.

Parce que c'était le temps de son patron.

De son père qui était son patron.

Tout ce qu'il pouvait tenir dans ses bras.

Dans ses bras éternels.

Les âmes des justes qu'il avait parfumées de ses vertus.

Une pleine gerbe, une pleine potée ; une pleine gerbée, une pleine brassée, une pleine bottée d'âmes.

Tant qu'il en pouvait tenir dans ses deux mains.

Tant qu'il en pouvait tenir dans ses deux bras.

Il était comme un fils au soir de sa journée ;

Son père l'attendait pour l'embrasser enfin ;

Un éternel baiser laverait son flanc pur ;

Un paternel baiser laverait son front pur ;

Un éternel baiser de son père laverait ses plaies vives,

Rafraîchirait ses plaies vives,

Et sa tête, et son flanc, et ses pieds, et ses mains.

Une source éternelle,

Une eau pure éternelle attendait ses plaies vives.

Un éternel baiser s'abattrait sur son flanc ;

Le baiser paternel descendrait sur son front.

Il quittait la maison terrestre pour la maison céleste ;

La maison temporelle pour la maison éternelle.

Il allait donc rentrer dans son éternité.

La tâche était finie et son œuvre était faite.

Il avait accompli son temps d'humanité.

Les anges l'attendaient pour lui fêter sa fête.

Les anges l'attendaient pour laver ses plaies vives.

Les anges l'attendaient pour baigner ses plaies vives.

Pour tamponner ses plaies.

Pour lui faire un pansement.

Les anges l'attendaient pour lui laver ses plaies.

Les anges l'attendaient pour lui baigner ses plaies.

Pour tamponner ses plaies vives.

Cinq pansements pour les cinq Plaies.

Avec du linge bien fin.

De lin.

Mais un peu usagé.

Parce que c'est plus doux.

Une source éternelle pour baigner ses plaies.

Les anges l'attendaient au sortir de nos mains

Pour acclamer son nom et lui chanter sa gloire ;

Pour lui laver le flanc ; pour lui laver les mains ;

Les anges l'attendaient pour lui baigner, pour lui laver ses plaies ;

Et le sang de ses mains, et le sang de ses pieds ;

Et les clous de ses mains, et les clous de ses pieds.

Comme il avait lavé les pieds de ses disciples,

Ainsi les anges lui laveraient ses pieds.

Les pieds du maître.

Et non seulement les pieds.

Mais comme avait demandé Pierre.

Simon Pierre.

Non seulement les pieds, mais aussi les mains et la tête.

Mais quand il avait lavé les pieds de ses disciples.

C'était dans une chambre bien close.

Bien tranquille.

Dans la chambre du souper.

Encore bien tranquille et bien close.

Et à présent ce serait dans le ciel.

Maintenant ce serait dans le ciel.

Désormais.

Les esprits l'attendaient après la mort des corps ;

Et les purs esprits purs après les corps charnels.

Et les fins esprits purs après la mort charnelle, après la mort grossière.

Et les fins esprits purs après les grossiers corps.

Singulier mystère.

Les esprits l'attendaient pour lui laver son corps.

Comme s'ils se connaissaient en corps.

Comme s'ils savaient ce que c'est qu'un corps.

Comme si ça les regardait.

Singulier mystère.

On voit bien que c'était son corps à lui.

Son siège l'attendait à la droite du père.

Il était le dauphin qui montait vers le roi.

Comme il allait rentrer dans son éternité,

Sur le point de rentrer dans son éternité,

C'est alors, tous les textes concordent, les textes sont formels, c'est alors qu'il poussa cette clameur effrayante.

Et marchant derechef dans son éternité.

Après des années et des années, après des siècles et des siècles un seul acte.

Préparait la maison de gloire maternelle.

Après un long voyage entrait dans sa maison.

Après tant de bataille une paix éternelle ;

Après tant de guerre une victoire éternelle ;

Après tant de misère une gloire éternelle ;

Après tant de bassesse une hausse éternelle ;

Après tant de conteste un règne incontesté.

Tu comprends. C'était fini. Il rentrait chez lui. Il s'en retournait chez lui. Il n'avait plus qu'à rentrer chez lui. Il s'en allait d'ici. Il revoyait de loin la maison de son père. Il revoyait aussi en par ici.

L'autre maison, la maison de son père nourricier.

Il revoyait l'humble berceau de son enfance,

Où son corps fut couché pour la première fois ;

Les langes sur la paille et le bœuf et la panse

De l'âne et les présents, les bergers et les rois.

JEANNETTE

Il naquit à Bethléhem dans une pauvre étable.

MADAME GERVAISE

Les présents que lui avaient apportés les bergers et les rois.

Il revoyait l'humble berceau de Bethléhem

Où son corps fut couché pour la première fois ;

Les présents que lui avaient faits, que lui faisaient les bergers et les rois.

Bethléhem, Bethléhem, et toi Jérusalem.

Vie commencée à Bethléhem et finie à Jérusalem.

Vie comprise entre Bethléhem et Jérusalem.

Vie inscrite entre Bethléhem et Jérusalem.

Il revoyait l'humble berceau de son enfance.

Vie commencée à Bethléhem et qui ne finit point à Jérusalem.

Les langes sur la paille attendaient la lessive ;

Un autre jeu de lange était prêt pour le change.

Les bergers prosternés présentaient de la laine.

De la laine de leurs moutons, mon enfant ; de la laine des moutons de ce temps-là. De la laine comme celle que nous filons.

JEANNETTE

De la laine comme ça.

MADAME GERVAISE

Les rois mages présentèrent l'or, l'encens et la myrrhe. De l'or comme à leur Roi.

JEANNETTE

De l'encens comme à leur Dieu.

MADAME GERVAISE

De la myrrhe comme à un homme mortel.

JEANNETTE

Qui un jour serait embaumé.

MADAME GERVAISE

Les rois mages Gaspard, Melchior et Balthazard.

JEANNETTE

Gaspard et Balthazard et Melchior les rois mages.

MADAME GERVAISE

Tout cela se passait sous la clarté des cieux ;

Les anges dans la nuit avaient formé des chœurs.

Les anges dans la nuit chantaient comme des fleurs.

Par dessus les bergers, par dessus les rois mages

Les anges dans la nuit chantaient éternellement.

Sous la bonté, sous la jeunesse, sous l'éternité des cieux. Du firmament qu'il appela ciel.

Comme des fleurs de chant, comme des fleurs d'hymne, comme des fleurs de prière, comme des fleurs d'action de grâces.

Comme une floraison, comme une frondaison, comme une fructification de prière et de grâce.

Tout cela se passait dessous les chœurs des anges.

Tout cela se passait sous la bonté des cieux.

L'étoile dans la nuit brillait comme un clou d'or.

L'étoile dans la nuit brillait éternellement,

L'étoile dans la nuit comme une épingle d'or.

JEANNETTE

Une étoile était apparue, une étoile montée qui ne remontera donc jamais.

MADAME GERVAISE

Comme tous les petits enfants il jouait avec des images.

(Très brusquement :)

Clameur qui sonne encore en toute humanité ;

Clameur dont chancela l'Église militante ;

Où la souffrance aussi connut son propre effroi ;

Par qui la triomphante éprouva son triomphe ;

Clameur qui sonne au cœur de toute humanité ;

Clameur qui sonne au cœur de toute chrétienté ;

Ô clameur culminante, éternelle et valable.

Cri comme si Dieu même eût péché comme nous ;

Comme si même Dieu se fût désespéré ;

Ô clameur culminante, éternelle et valable.

Comme si même Dieu eût péché comme nous.

Et du plus grand péché.

Qui est de désespérer.

Le péché du désespoir.

Plus que les deux larrons pendus à ses côtés ;

Qui hurlaient à la mort ainsi que des chiens maigres.

Les larrons ne hurlaient qu'un hurlement humain ;

Les larrons ne hurlaient qu'un cri de mort humaine ;

Ils ne bavaient aussi que de la bave humaine :

Le Juste seul poussa la clameur éternelle.

Mais pourquoi ? Qu'est-ce qu'il avait ?

Les larrons ne criaient qu'une clameur humaine ;

Car ils ne connaissaient qu'une détresse humaine ;

Ils n'avaient éprouvé qu'une détresse humaine.

Lui seul pouvait crier la clameur surhumaine ;

Lui seul connut alors cette surhumaine détresse.

Aussi les larrons ne poussèrent-ils qu'un cri qui s'éteignit dans la nuit.

Et lui poussa le cri qui retentira toujours, éternellement toujours, le cri qui ne s'éteindra éternellement jamais.

Dans aucune nuit. Dans aucune nuit du temps et de l'éternité.

Car le larron de gauche et le larron de droite

Ne sentaient que les clous dans le creux de la main.

Que lui faisait l'effort de la lance romaine ;

Que lui faisait l'effort des clous et le marteau ;

Le percement des clous, le percement de lance ;

Que lui faisaient les clous dans le creux de la main ;

Le percement des clous au creux de ses deux mains ;

Sa gorge qui lui faisait mal.

Qui lui cuisait.

Qui lui brûlait.

Qui lui déchirait.

Sa gorge sèche et qui avait soif.

Son gosier sec.

Son gosier qui avait soif.

Sa main gauche qui lui brûlait.

Et sa main droite.

Son pied gauche qui lui brûlait.

Et son pied droit.

Parce que sa main gauche était percée.

Et sa main droite.

Et son pied gauche était percé.

Et son pied droit.

Tous ses quatre membres.

Ses quatre pauvres membres.

Et son flanc qui lui brûlait.

Son flanc percé.

Son cœur percé.

Et son cœur qui lui brûlait.

Son cœur consumé d'amour.

Son cœur dévoré d'amour.

Le reniement de Pierre et la lance romaine ;

Les crachats, les affronts, la couronne d'épines ;

Le roseau flagellant, le sceptre de roseau ;

Les clameurs de la foule et les bourreaux romains.

Le soufflet. Car ce fut la première fois qu'il fut souffleté.

Il n'avait pas crié sous la lance romaine ;

Il n'avait pas crié sous le baiser parjure ;

Il n’avait pas crié sous l’ouragan d’injure ;

Il n’avait pas crié sous les bourreaux romains.

Il n’avait pas crié sous l’amertume et l’ingratitude.

Le goût de l’amertume dans la gorge.

Dans le gosier.

La gorge sèche et amère d’amertume.

Sèche de ravaler l’amertume.

Sèche, amère de ravaler l’ingratitude.

Des hommes.

Amère, suffoquée de ravaler.

Suffoquée des flots d’ingratitude.

Étranglée de ravaler.

Et il ne parlerait plus par (des) similitudes.

Il n’avait pas crié sous la face parjure ;

Il n’avait pas crié sous les faces d’injure ;

Il n’avait pas crié sous les faces des bourreaux romains.

Alors pourquoi cria-t-il ; devant quoi cria-t-il.

Tristis, tristis usque ad mortem ;

Triste jusqu’à la mort ; mais jusqu’à quelle mort ;

Jusqu’à faire une mort ; ou jusqu’à cette date

De la mort.

Il revoyait l’humble berceau de son enfance,

La crèche,

Où son corps fut couché pour la première fois ;

Il prévoyait le grand tombeau de son corps mort,

Le dernier berceau de tout homme,

Où il faut que tout homme se couche.

Pour dormir.

Censément.

Apparemment.

Pour enfin reposer.

Pour pourrir.

Son corps.

Entre quatre planches.

En attendant la résurrection des corps.

Jusqu'à la résurrection des corps.

Heureux quand les âmes ne pourrissent point.

Et il était homme ;

Il devait subir le sort commun ;

S'y coucher comme tout le monde ;

Il devait y passer comme tout le monde ;

Il y passerait.

Comme les autres.

Comme tout le monde.

Comme tant d'autres.

Après tant d'autres.

Son corps serait couché pour la dernière fois.

Mais il n'y resterait que deux jours, trois jours ; à cause de la résurrection.

Car il ressusciterait le troisième jour.

À cause de sa résurrection particulière et de son ascension.

À lui.

Qu'il fit avec son propre corps, avec le même corps.

Le linge de son ensevelissement ;

Blanc comme le mouchoir de cette nommée Véronique ;

Le linge blanc comme un lange.

Et que l'on entoure tout à fait comme un lange.

Mais plus grand, beaucoup plus grand.

Parce que lui-même il avait grandi.

Il était devenu un homme.

C'était un enfant qui avait beaucoup grandi.

Il serait enseveli par ces femmes.

Pieusement par les mains de ces femmes.

Comme un homme qui est mort dans un village.

Tranquillement dans sa maison dans son village.

Accompagné des derniers sacrements.

Pieusement enseveli et tranquillement par ces femmes.

Sans que personne les dérange.

Par les mains pieuses de ces femmes.

Par les doigts pieux de ces femmes.

C'est ce qu'on nommerait la descente de croix.

Parce que les Romains n'étaient pas méchants.

Tous ces Romains.

Au fond ils n'étaient pas méchants.

Ils ne cherchaient pas querelle à son corps pendu.

Et dépendu.

Ils ne feraient point des misères à sa dépouille.

Mortelle.

Ils ne chercheraient pas des disputes à ces pauvres femmes.

Aux saintes femmes.

Ni à ce vieux Joseph d'Arimathée.

Ce bon vieux.

Ce sage bon vieux.

Qui lui prêterait son sépulcre.

On peut se prêter beaucoup de choses dans l'existence.

Entre soi.

Dans son ménage.

On peut se prêter son âne pour aller au marché.

On peut se prêter son baquet pour faire la lessive.

Et son battoir.

On peut se prêter sa casserole.

Et son chaudron.

Et sa marmite pour faire bouillir la soupe.

Pour les enfants.

Pour toute la maisonnée.

Mais se prêter un sépulcre.

Ce n'est pas ordinaire.

Se prêter son sépulcre.

Son propre tombeau.

Ce vieux lui prêterait donc son sépulcre.

Ce sage vieux.

Ce vieux avisé.

Cet homme riche.

Ce vieil avisé ;

Cet homme à la barbe blanche.

Aux cheveux tout blancs.

Ce vieux sage.

Cet homme tout blanc.

Le sépulcre qu'il avait fait faire.

Qu'il s'était fait faire pour lui-même.

Puisque Dieu le père en avait décidé ainsi.

Que les jeunes mouraient souvent avant les vieux.

Et qu'il y avait tant de vieillards qui ne mouraient point.

Et que lui mourait dans la jeunesse maigre de ses trente et trois ans.

Or comme il s'était fait le soir.

Vint un certain homme riche d'Arimathée.

Nommé Joseph.

Qui lui-même était disciple de Jésus.

Celui-ci alla trouver Pilate.

Car il faut toujours demander un jour quelque chose aux puissances.

Quand on est vivant on les brave.

Le héros, le saint, le martyr les brave.

Mais quand on est mort.

Les autres ne les bravent pas pour vous dans les questions d'enterrement.

Cela prouve que ce Joseph d'Arimathée n'avait pas peur d'aller trouver les puissances.

De causer aux puissances.

Il savait parler. Il savait causer.

Évidemment c'était un homme qui savait causer.

Il n'avait pas peur de causer.

Il savait quoi dire.

Il n'avait pas peur.

Même à Pilate.

Il savait se présenter.

Celui-ci alla trouver Pilate.

Et demanda le corps de Jésus.

Alors Pilate ordonna de rendre le corps.

Ce n'était pas plus difficile que ça.

Décidément ce Pilate n'était pas un mauvais homme.

C'était un fonctionnaire.

Un préfet.

Romain.

Il n'en voulait pas particulièrement à Jésus.

Il n'en voulait pas au corps de Jésus.

Le lendemain il n'y pensait même plus.

Il n'en voulait pas personnellement à Jésus.

Il n'en voulait pas au corps de Jésus.

Il avait bien autre chose à penser.

Le lendemain il n'y pensait même plus.

Et toute l'humanité y pense éternellement.

Et ayant reçu le corps.

Joseph l'enveloppa dans un blanc linceul.

Dans un linceul propre.

In sindone munda.

Dans un linceul blanc.

Et il le plaça dans son monument neuf.

Dans son sépulcre neuf.

Posuit illud. Il le posa.

Qu'il avait fait tailler dans la pierre.

Dans le roc.

Et il roula une grande pierre.

Il fit rouler un grand rocher.

À la porte du monument.

À l'entrée du sépulcre.

Et s'en alla.

On aime à penser qu'ensuite il chercha pour son propre corps un autre monument.

Le grand tombeau de son ensevelissement.

Le saint sépulcre.

Le sépulcre de sa grande sépulture.

Il avait dit à Jean : Jean, voici votre mère.

Et voici votre fils.

Il ne pleurait point Jean, Marie et Madeleine ;

Il ne les quittait plus que de quelques années ;

Un jour ils remontaient au séjour de son père ;

La séparation n'avait qu'un temps humain.

Tout ce qui tenait à lui, tout ce qui venait de lui, tout ce qui tenait de lui, de ce côté-là, n'était qu'humain.

Un berceau lointain, une crèche dans une étable ; sous le chœur des chansons ; sous le chœur des anges ; sous les ailes calmes mais frissonnantes, mais palpitantes des anges.

Il mesura plus qu'eux la grandeur de la peine ;

Ils ne la mesuraient que d'un regard humain ;

Même le damné, même le larron qui venait de se perdre ;

Ils n'étaient devant lui que des damnés humains.

De son regard de Dieu joignant l'éternité,

Il était tout au bout en même temps qu'ici,

Il était tout au bout en même temps qu'alors.

Il était au milieu et tout ensemble à l'un et l'autre bout.

Lui seul.

De tous.

Il saisit d'un regard toute sa vie humaine,

Que trente ans de famille et trois ans de public

N'avaient point accomplie ;

Que trente ans de famille et trois ans de disciples,

Sa nouvelle famille,

Cette autre famille,

Sa famille charnelle et sa famille élue,

L'une et l'autre charnelles, l'une et l'autre élues,

Toutes les deux charnelles, toutes les deux élues,

N'avaient point consommée ;

Que trente ans de travail et trois ans de prières,

Trente-trois ans de travail, trente-trois ans de prières

N'avaient point achevée ;

Trente-trois ans de travail, trente-trois ans de prière.

Que trente ans de charpente et trois ans de parole,

Trente-trois ans de charpente, trente-trois ans de parole, secrète ;

publique ;

N'avaient point épuisée ;

Car il avait travaillé dans la charpente, de son métier.

Il travaillait, il était dans la charpente.

Dans la charpenterie.

Il était ouvrier charpentier.

Il avait même été un bon ouvrier.

Comme il avait été un bon tout.

C'était un compagnon charpentier.

Son père était un tout petit patron.

Il travaillait chez son père.

Il faisait du travail à domicile.

Il voyait, il revoyait aussi l'établi et le rabot.

L'établi. Le billot pour appuyer le morceau de bois que l'on fend.

La scie et la varlope.

Les beaux vrillons, les beaux copeaux de bois.

La bonne odeur du bois frais.

Fraîchement coupé.

Fraîchement taillé.

Fraîchement scié.

Et la belle couleur, et la belle odeur,

Et la bonne couleur, et la bonne odeur.

Du bois quand on enlève l'écorce.

Quand on le pelure.

Comme un beau fruit.

Comme un bon fruit.

Que l’on mangerait.

Mais ce sont les outils qui le mangent.

Et l’écorce qui se sépare.

Qui s’écarte.

Qui se pèle.

Qui s’enlève délicatement sous la cognée.

Qui sent si bon et qui a une si belle couleur brune.

Comme il aimait ce métier-là.

L’écorce qui a une si bonne couleur, une si bonne odeur.

Comme il aimait son métier.

Il était fait pour ce métier-là.

Sûrement.

Le métier des berceaux et des cercueils.

Qui se ressemblent tant.

Des tables et des lits.

Et aussi des autres meubles.

De tous les meubles.

Car il ne faut oublier personne.

Il ne faut décourager personne.

Le métier des buffets, des armoires, des commodes.

Des mées.

Pour mettre le pain.

Des escabeaux.

Et le monde n’est que l’escabeau de vos pieds.

Car dans ce temps-là les menuisiers n’étaient pas encore séparés des charpentiers.

Tout ce qui travaillait le bois.

Comme il avait aimé le travail bien fait.

L'ouvrage bien faite.

Il avait été un bon ouvrier.

Un bon charpentier.

Comme il avait été un bon fils.

Un bon fils pour sa mère Marie.

Un enfant bien sage.

Bien docile.

Bien soumis.

Bien obéissant à ses père et mère.

Un enfant.

Comme tous les parents voudraient en avoir.

Un bon fils pour son père Joseph.

Pour son père nourricier Joseph.

Le vieux charpentier.

Le maître charpentier.

Comme il avait été un bon fils aussi pour son père.

Pour son père qui êtes aux cieux.

Comme il avait été un bon camarade pour ses petits camarades.

Un bon camarade d'école.

Un bon camarade de jeux.

Un bon compagnon de jeu.

Un bon compagnon d'atelier.

Un bon compagnon charpentier.

Parmi tous les autres compagnons.

Charpentiers.

Pour tous les compagnons.

Charpentiers.

Comme il avait été un bon pauvre.

Comme il avait été un bon citoyen.

Il avait été un bon fils pour ses père et mère.

Jusqu'au jour où il avait commencé sa mission.

Sa prédication.

Un bon fils pour sa mère Marie.

Jusqu'au jour où il avait commencé sa mission.

Un bon fils pour son père Joseph.

Jusqu'au jour où il avait commencé sa mission.

En somme tout s'était bien passé.

Jusqu'au jour où il avait commencé sa mission.

Il était généralement aimé.

Tout le monde l'aimait bien.

Jusqu'au jour où il avait commencé sa mission.

Les camarades, les amis, les compagnons, les autorités,

Les citoyens,

Les père et mère

Trouvaient cela très bien.

Jusqu'au jour où il avait commencé sa mission.

Les camarades trouvaient qu'il était un bon camarade.

Les amis un bon ami.

Les compagnons un bon compagnon.

Pas fier.

Les citoyens trouvaient qu'il était un bon citoyen.

Les égaux un bon égal.

Jusqu'au jour où il avait commencé sa mission.

Les citoyens trouvaient qu'il était un bon citoyen.

Jusqu'au jour où il avait commencé sa mission.

Jusqu'au jour où il s'était révélé comme un autre citoyen.

Comme le fondateur, comme le citoyen d'une autre cité.

Car c'est de la Cité céleste.

Et de la Cité éternelle.

Les autorités trouvaient cela très bien.

Jusqu'au jour où il avait commencé sa mission.

Les autorités trouvaient qu'il était un homme d'ordre.

Un jeune homme posé.

Un jeune homme tranquille.

Un jeune homme rangé.

Commode à gouverner.

Et qui rendait à César ce qui est à César.

Jusqu'au jour où il avait commencé le désordre.

Introduit le désordre.

Le plus grand désordre qu'il y ait eu dans le monde.

Qu'il y ait jamais eu dans le monde.

Le plus grand ordre qu'il y ait eu dans le monde.

Le seul ordre.

Qu'il y ait jamais eu dans le monde.

Jusqu'au jour où il s'était dérangé.

Et en se dérangeant il avait dérangé le monde.

Jusqu'au jour où il se révéla
Le seul Gouvernement du monde.
Le Maître du monde.
Le seul Maître du monde.
Et où il apparut à tout le monde.
Où les égaux virent bien.
Qu'il n'avait aucun égal.
Alors le monde commença à trouver qu'il était trop grand.
Et à lui faire des embêtements.
Et jusqu'au jour où il entreprit de rendre à Dieu ce qui est à Dieu.
Il était un bon fils pour ses père et mère.
Un bon fils pour sa mère Marie.
Et ses père et mère trouvaient cela très bien.
Sa mère Marie trouvait cela très bien.
Elle était heureuse, elle était fière d'avoir un tel fils.
D'être la mère d'un pareil fils.
D'un tel fils.
Elle s'en glorifiait peut-être en elle-même et elle glorifiait Dieu.
Magnificat anima mea.
Dominum.
Et exultavit spiritus meus.
Magnificat. Magnificat.
Jusqu'au jour où il avait commencé sa mission.
Mais depuis qu'il avait commencé sa mission.
Elle ne magnifiait peut-être plus.
Depuis trois jours elle pleurait.

Elle pleurait, elle pleurait.

Comme aucune femme n'a jamais pleuré.

Nulle femme.

Voilà ce qu'il avait rapporté à sa mère.

Jamais un garçon n'avait coûté autant de larmes à sa mère.

Jamais un garçon n'avait autant fait pleurer sa mère.

Voilà ce qu'il avait rapporté à sa mère.

Depuis qu'il avait commencé sa mission.

Parce qu'il avait commencé sa mission.

Depuis trois jours elle pleurait.

Depuis trois jours elle errait, elle suivait.

Elle suivait le cortège.

Elle suivait les événements.

Elle suivait comme à un enterrement.

Mais c'était l'enterrement d'un vivant.

D'un vivant encore.

Elle suivait ce qui se passait.

Elle suivait comme si elle avait été du cortège.

De la cérémonie.

Elle suivait comme une suivante.

Comme une servante.

Comme une pleureuse des Romains.

Des enterrements romains.

Comme si ça avait été son métier.

De pleurer.

Elle suivait comme une pauvre femme.

Comme une habituée du cortège.

Comme une suivante du cortège.

Comme une servante.

Déjà comme une habituée.

Elle suivait comme une pauvresse.

Comme une mendiante.

Eux qui n'avaient jamais rien demandé à personne.

À présent elle demandait la charité.

Sans en avoir l'air elle demandait la charité.

Puisque sans en avoir l'air, sans même le savoir elle demandait la charité de la pitié.

D'une piété.

D'une certaine piété.

Pietas.

Voilà ce qu'il avait fait de sa mère.

Depuis qu'il avait commencé sa mission.

Elle suivait, elle pleurait.

Elle pleurait, elle pleurait.

Les femmes ne savent que pleurer.

On la voyait partout.

Dans le cortège mais un peu en dehors du cortège.

Sous les portiques, sous les arcades, dans les courants d'air.

Dans les temples, dans les palais.

Dans les rues.

Dans les cours et dans les arrière-cours.

Et elle était montée aussi sur le Calvaire.

Elle aussi elle avait gravi le Calvaire.

Qui est une montagne escarpée.

Et elle ne sentait seulement pas qu'elle marchait.

Elle ne sentait seulement pas ses pieds qui la portaient.

Elle ne sentait pas ses jambes sous elle.

Elle aussi elle avait gravi son calvaire.

Elle aussi elle avait monté, monté.

Dans la cohue, un peu en arrière.

Monté au Golgotha.

Sur le Golgotha.

Sur le faîte.

Jusqu'au faîte.

Où il était maintenant crucifié.

Cloué des quatre membres.

Comme un oiseau de nuit sur la porte d'une grange.

Lui le Roi de Lumière.

Au lieu appelé Golgotha.

C'est-à-dire la place du Crâne.

Voilà ce qu'il avait fait de sa mère.

Maternelle.

Une femme en larmes.

Une pauvresse.

Une pauvresse de détresse.

Une pauvresse en détresse.

Une espèce de mendiante de pitié.

Depuis qu'il avait commencé d'accomplir sa mission.

Depuis trois jours elle suivait elle suivait.

Accompagnée seulement de trois ou quatre femmes.

De ces saintes femmes.

Escortée, entourée seulement de ces quelques femmes.

De ces quelques saintes femmes.

Des saintes femmes.

Enfin.

Puisqu'éternellement on devait les nommer ainsi.

Qui gagnaient ainsi.

Qui assuraient ainsi leur part de paradis.

Et pour sûr elles auraient une bonne place.

Aussi bonne que celle qu'elles avaient en ce moment.

Puisqu'elles auraient la même place.

Car elles seraient aussi près de lui qu'en ce moment.

Je veux dire qu'elles seraient aussi près de lui qu'en ce moment.

Qu'en ce moment même.

Éternellement aussi près qu'en ce moment même.

Éternellement aussi près qu'en ce moment du temps.

Du temps de Judée.

Éternellement aussi près dans sa gloire.

Que dans sa passion.

Dans la gloire de sa passion.

Et toutes les quatre ensemble ou peut-être un peu plus ou moins.

Un peu plus un peu moins.

Elles formaient toujours un petit groupe à part.

Un petit cortège un peu derrière le grand cortège.

Un peu en arrière.

Et on les reconnaissait.

Elle pleurait, elle pleurait sous un grand voile de lin.

Un grand voile bleu.

Un peu passé.

Voilà ce qu'il avait fait de sa mère.

Elle pleurait comme jamais il ne sera donné ;

Comme jamais il ne sera demandé

À une femme de pleurer sur terre.

Éternellement jamais.

À aucune femme.

Voilà ce qu'il avait fait de sa mère.

D'une mère maternelle.

Ce qu'il y a de curieux c'est que tout le monde la respectait.

Les gens respectent beaucoup les parents des condamnés.

Ils disaient même : la pauvre femme.

Et en même temps ils tapaient sur son fils.

Parce que l'homme est comme ça.

L'homme est ainsi fait.

Le monde est comme ça.

Les hommes sont comme ils sont et on ne pourra jamais les changer.

Elle ne savait pas qu'au contraire il était venu changer l'homme.

Qu'il était venu changer le monde.

Elle suivait, elle pleurait.

Et en même temps ils tapaient sur son garçon.

Elle suivait, elle suivait.

Les hommes sont comme ça.

On ne les changera pas.

On ne les refera pas.

On ne les refera jamais.

Et lui il était venu pour les changer.

Pour les refaire.

Pour changer le monde.

Pour le refaire.

Elle suivait, elle pleurait.

Tout le monde la respectait.

Tout le monde la plaignait.

On disait la pauvre femme.

C'est que tous ces gens n'étaient peut-être pas méchants.

Ils n'étaient pas méchants au fond.

Ils accomplissaient les Écritures.

Ce qui est curieux, c'est que tout le monde la respectait.

Honorait, respectait, admirait sa douleur.

On ne l'écartait, on ne la repoussait que modérément.

Avec des attentions particulières.

Parce qu'elle était la mère du condamné.

On pensait : c'est la famille du condamné.

On le disait même à voix basse.

On se le disait, entre soi,

Avec une secrète admiration.

Et on avait raison, c'était toute sa famille.

Sa famille charnelle et sa famille élue.

Sa famille sur la terre et sa famille dans le ciel.

Elle suivait, elle pleurait.

Ses yeux étaient si brouillés que la lumière du jour ne lui paraîtrait jamais claire.

Plus jamais.

Depuis trois jours les gens disaient : Elle a vieilli de dix ans.

Je l'ai encore vue.

Je l'avais encore vue la semaine dernière.

En trois jours elle a vieilli de dix ans.

Jamais plus.

Elle suivait, elle pleurait, elle ne comprenait pas très bien.

Mais elle comprenait très bien que le gouvernement était contre son garçon.

Ce qui est une mauvaise affaire.

Que le gouvernement était pour le mettre à mort.

Toujours une mauvaise affaire.

Et qui ne pouvait pas bien finir.

Tous les gouvernements s'étaient mis d'accord contre lui.

Le gouvernement des Juifs et le gouvernement des Romains.

Le gouvernement des juges et le gouvernement des prêtres.

Le gouvernement des soldats et le gouvernement des curés.

Il n'en réchapperait sûrement pas.

Certainement pas.

Tout le monde était contre lui.

Tout le monde était pour sa mort.

Pour le mettre à mort.

Voulait sa mort.

Des fois on avait un gouvernement pour soi.

Et l'autre contre soi.

Alors on pouvait en réchapper.

Mais lui tous les gouvernements.

Tous les gouvernements d'abord.

Et le gouvernement et le peuple.

C'est ce qu'il y avait de plus fort.

C'était ça surtout qu'on avait contre soi.

Le gouvernement et le peuple.

Qui d'habitude ne sont jamais d'accord.

Et alors on en profite.

On peut en profiter.

Il est bien rare que le gouvernement et le peuple soient d'accord.

Et alors celui qui est contre le gouvernement.

Est avec le peuple.

Pour le peuple.

Et celui qui est contre le peuple.

Est avec le gouvernement.

Pour le gouvernement.

Celui qui est appuyé par le gouvernement.

N'est pas appuyé par le peuple.

Celui qui est soutenu par le peuple.

N'est pas soutenu par le gouvernement.

Alors en s'appuyant sur l'un ou sur l'autre.

Sur l'un contre l'autre.

On pouvait quelquefois en réchapper.

On pourrait peut-être s'arranger.

Mais ils n'avaient pas de chance.

Elle voyait bien que tout le monde était contre lui.

Le gouvernement et le peuple.

Ensemble.

Et qu'ils l'auraient.

Qu'ils auraient sa peau.

Ce qui était curieux c'est que la dérision était toute sur lui.

Et qu'il n'y avait aucune dérision sur elle.

Pour elle.

Nulle dérision.

On n'avait que du respect pour elle.

Pour sa douleur.

Pour son malheur.

On ne lui disait pas des sottises.

Au contraire.

Les gens ne la regardaient même pas trop.

Afin de mieux la respecter.

Pour la respecter davantage.

Elle aussi elle était montée.

Montée avec tout le monde.

Jusqu'au faîte.

Sans même s'en apercevoir.

Ses jambes la portaient sans même s'en apercevoir.

Elle aussi elle avait fait son chemin de croix.

Les quatorze stations.

Au fait était-ce bien quatorze stations.

Y avait-il bien quatorze stations.

Y en avait-il bien quatorze.

Elle ne savait plus au juste.

Elle ne se rappelait plus.

Pourtant elle les avait faites.

Elle en était sûre.

Mais on peut se tromper.

Dans ces moments-là la tête se trouble.

Nous autres qui ne les avons pas faites nous le savons.

Elle qui les avait faites elle ne savait pas.

Tout le monde était contre lui.

Tout le monde voulait sa mort.

C'est curieux.

Des mondes qui d'habitude n'étalent pas ensemble.

Le gouvernement et le peuple.

De sorte que le gouvernement lui en voulait comme le dernier des charretiers.

Autant que le dernier des charretiers.

Et le dernier des charretiers comme le gouvernement.

Autant que le gouvernement.

C'était jouer de malheur.

Quand on a l'un pour soi, l'autre contre soi quelquefois on en réchappe.

On s'en tire.

On peut s'en tirer.

On peut en réchapper.

Mais il n'en réchapperait pas.

Sûrement il n'en réchapperait pas.

Quand on a tout le monde contre soi.

Qu'est-ce qu'il avait donc fait à tout le monde.

Je vais vous le dire :

Il avait sauvé le monde.

Elle pleurait, elle pleurait.

Depuis trois jours elle pleurait.

Non, depuis deux jours seulement.

Non, depuis la veille seulement.

Il avait été arrêté la veille au soir.

Seulement.

Elle se rappelait bien.

Ainsi.

Comme le temps passe.

Comme le temps passe vite.

Non, lentement.

Comme il passe lentement.

Elle croyait qu'il y avait trois jours.

Comme on se trompe.

Il avait été arrêté au jardin des Oliviers.

Qui était un lieu de promenade.

Pour les gens le dimanche.

Il avait été arrêté la veille au soir au jardin des Oliviers.

Elle se rappelait bien.

Elle se rappelait très bien.

Mais il lui semblait.

Elle croyait qu'il y avait trois jours.

Au moins.

Et même plus.

Beaucoup plus.

Des jours et des jours.

Et des années.

Il lui semblait qu'il y avait presque toujours.

Pour ainsi dire toujours.

Il lui semblait.

Que ça avait toujours été comme ça.

Il y a dans la vie des événements comme ça.

Tout le monde était contre lui.

Depuis Ponce Pilate jusqu'au dernier des charretiers.

Elle suivait de loin.

De près.

D'assez loin.

D'assez près.

Cette cohue hurlante.

Cette meute qui aboyait.

Et mordait.

Cette cohue hurlante qui hurlait et tapait.

Sans conviction.

Avec conviction.

Car ils accomplissaient les Écritures.

On peut dire qu'ils tapaient religieusement.

Puisqu'ils accomplissaient les Écritures.

Des prophètes.

Tout le monde était contre lui.

Depuis Ponce Pilate.

Ce Ponce Pilate.

Pontius Pilatus.

Sub Pontio Pilato passus.

Et sepultus est.

Un brave homme.

Du moins on le disait un brave homme.

Bon.

Pas méchant.

Un Romain.

Qui comprenait les intérêts du pays.

Et qui avait beaucoup de mal à gouverner ces Juifs.

Qui sont une race indocile.

Seulement, voilà, depuis trois jours une folie les avait pris contre son garçon.

Une folie. Une espèce de rage.

Oui ils étaient enragés.

Après lui.

Qu'est-ce qu'ils avaient.

Il n'avait pourtant pas fait tant de mal que ça.

Tous.

Lui en tête Ponce Pilate.

L'homme qui se lavait les mains.

Le procurateur.

Le procurateur pour les Romains.

Le procurateur de Judée.

Tous. Et Caïphe le grand-prêtre.

Les généraux, les officiers, les soldats.

Les sous-officiers, centeniers, centurions, décurions.

Les prêtres et les princes des prêtres.

Les écrivains.

C'est-à-dire les scribes.

Les pharisiens, les publicains, les péagers.

Les Pharisiens et les Sadducéens.

Les publicains qui sont comme qui dirait les percepteurs.

Et qui ne sont pas pour ça des hommes plus mauvais que les autres.

On lui avait dit aussi qu'il avait des disciples.

Des apôtres.

Mais on n'en voyait point.

Ça n'était peut-être pas vrai.

Il n'en avait peut-être pas.

Il n'en avait peut-être jamais eu.

On se trompe, des fois, dans la vie.

Si il en avait eu on les aurait vus.

Parce que si il en avait eu, ils se seraient montrés.

Hein, c'étaient des hommes, ils se seraient montrés.

Non seulement, elle pleurait, elle pleurait.

Elle pleurait pour aujourd'hui et pour demain.

Et pour tout son avenir.

Pour toute sa vie à venir.

Mais elle pleurait, elle pleurait aussi.

Elle pleurait pour son passé.

Pour les jours où elle avait été heureuse dans son passé.

L'innocente.

Pour effacer les jours où elle avait été heureuse dans son passé.

Pour effacer ses jours de bonheur.

Ses anciens jours de bonheur.

Parce que ces jours l'avaient trompée.

Ces jours trompeurs.

Ces jours l'avaient trahie.

Ces anciens jours.

Ces jours où elle aurait dû pleurer d'avance.

Par provision.

Il faudrait toujours pleurer par provision.

En avance des jours à venir.

Des malheurs à venir.

Du malheur qui veille.

Elle aurait dû prendre ses précautions.

Prévoir.

Il faudrait toujours prendre ses précautions.

Si elle avait su.

Si elle avait su elle aurait pleuré toujours.

Pleuré toute sa vie.

Pleuré d'avance.

Elle se serait méfiée.

Elle aurait pris les devants.

Comme ça elle n'aurait pas été trompée.

Elle n'aurait pas été trahie.

Elle s'était trahie elle-même en ne pleurant pas.

Elle s'était volée elle-même.

Elle s'était trompée elle-même.

En ne pleurant pas.

En acceptant ces jours de bonheur.

Elle s'était trahie elle-même.

Elle était entrée dans le jeu.

Quand on pense qu'il y a des jours où elle avait ri.

Innocemment.

L'innocente.

Tout allait si bien dans ce temps-là.

Elle pleurait elle pleurait pour effacer ces jours.

Elle pleurait, elle pleurait, elle effaçait ces jours.

Ces jours qu'elle avait volés.

Qu'on lui avait volés.

Ces jours qu'elle avait dérobés à son pauvre fils qui en ce moment expirait sur la croix.

Non seulement il avait contre lui le peuple.

Mais les deux peuples.

Tous les deux peuples.

Le peuple des pauvres.

Qui est sérieux.

Et respectable.

Et le peuple des misérables.

Des miséreux.

Qui n'est pas sérieux.

Ni pas respectable.

Il avait contre lui ceux qui travaillaient et ceux qui ne faisaient rien.

Ceux qui travaillaient et ceux qui ne travaillaient pas.

Ensemble.

Également.

Le peuple des ouvriers.

Qui est sérieux.

Et respectable.

Et le peuple des mendiants.

Qui n'est pas sérieux.

Mais qui est peut-être respectable tout de même.

Parce qu'on ne sait pas.

La tête se trouble.

La tête se dérange.

Les idées se dérangent quand on voit des choses comme ça.

Il avait contre lui les ouvriers des villes.

De la ville.

Ceux qui travaillent en ville.

Chez les patrons.

Chez les bourgeois.

Et aussi, également, ensemble les ouvriers des champs.

Également aussi.

Les paysans qui viennent au marché.

Il n'avait tout de même pas fait du mal à tout ce monde.

À tout ce monde-là.

Enfin on exagère.

On exagère toujours.

Le monde est mauvaise langue.

On exagérait.

Enfin il n'avait pas fait du mal à tout le monde.

Il était trop jeune.

Il n'avait pas eu le temps.

D'abord il n'aurait pas eu le temps.

Quand un homme est tombé, tout le monde est dessus.

Vous savez, chrétiens, ce qu'il avait fait.

Il avait fait ceci.

Qu'il avait sauvé le monde.

C'est une singulière fortune que de retourner.

Que de tourner tout le monde contre soi.

Elle pleurait, elle pleurait, elle en était devenue laide.

Elle la plus grande Beauté du monde.

La Rose mystique.

La Tour d'ivoire.

Turris eburnea.

La Reine de beauté.

En trois jours elle était devenue affreuse à voir.

Les gens disaient qu'elle avait vieilli de dix ans.

Ils ne s'y connaissaient pas. Elle avait vieilli de plus de dix ans.

Elle savait, elle sentait bien qu'elle avait vieilli de plus de dix ans.

Elle avait vieilli de sa vie.

Les imbéciles.

De toute sa vie.

Elle avait vieilli de sa vie entière et de plus que de sa vie, de plus que d'une vie.

Car elle avait vieilli d'une éternité.

Elle avait vieilli de son éternité.

Qui est la première éternité après l'éternité de Dieu.

Car elle avait vieilli de son éternité.

Elle était devenue Reine.

Elle était devenue la Reine des Sept Douleurs.

Elle pleurait, elle pleurait, elle était devenue si laide.

En trois jours.

Elle était devenue affreuse.

Affreuse à voir.

Si laide, si affreuse.

Qu'on se serait moqué d'elle.

Sûrement.

Si elle n'avait pas été la mère du condamné.

Elle pleurait, elle pleurait. Ses yeux, ses pauvres yeux.

Ses pauvres yeux étaient rougis de larmes.

Et jamais ils ne verraient bien clair.

Après.

Depuis.

Par la suite.

Jamais plus.

Jamais désormais elle ne verrait bien clair.

Pour travailler.

Et pourtant après il faudrait travailler pour gagner sa vie.

Sa pauvre vie.

Travailler encore.

Après comme avant.

Jusqu'à la mort.

Raccommoder les bas, les chaussettes.

Joseph userait encore.

Enfin tout ce qu'il faut qu'une femme fasse dans son ménage.

On a tant de mal à gagner sa vie.

Elle pleurait, elle était devenue affreuse. Les cils collés.

Les deux paupières, celle du dessus et celle du dessous,

Gonflées, meurtries, sanguinolentes.

Les joues ravagées.

Les joues ravinées.

Les joues ravaudées.

Ses larmes lui avaient comme labouré les joues.

Les larmes de chaque côté lui avaient creusé un sillon dans les joues.

Les yeux lui cuisaient, lui brûlaient.

Jamais on n'avait autant pleuré.

Et pourtant ce lui était un soulagement de pleurer.

La peau lui cuisait, lui brûlait.

Et lui pendant ce temps-là sur la croix les Cinq Plaies lui brûlaient.

Et il avait la fièvre.

Et elle avait la fièvre.

Et elle était ainsi associée à sa Passion.

Elle pleurait, elle faisait si drôle, si affreux à voir.

Si affreuse

Que l'on aurait ri certainement.

Et que l'on se serait moqué d'elle.

Certainement.

Si elle n'avait pas été la mère du condamné.

Même les gamins des rues se détournaient.

Quand ils la voyaient.

Détournaient la tête.

Détournaient les yeux.

Pour ne pas rire.

Pour ne pas lui rire au nez.

Et on ne sait pas, peut-être aussi pour ne pas pleurer.

Heureusement encore qu'il connaissait ce vieux Joseph d'Arimathée.

Un homme de bien, ce vieux, sans aucun doute.

Et heureusement surtout que ce vieil homme voulait bien s'intéresser à lui.

À sa dépouille.

Mortelle.

Elle aurait ainsi une grande consolation.

La seule.

Une seule.

La dernière.

La consolation de la sépulture.

De l'ensevelissement et de la sépulture.

Il serait même enterré dans un beau sépulcre.

Dans un sépulcre neuf.

Taillé dans la pierre.

Dans le roc.

À même le roc.

Pour tout dire il serait enseveli dans un beau linceul.

Un drap de lit.

Pour son dernier lit.

Pour son dernier sommeil.

Et pour tout dire il serait enterré dans le sépulcre d'un riche.

Heureusement que ce vieil homme allait s'occuper de lui.

S'intéresser à lui.

À son corps. À sa dépouille.

Mortelle.

Voyez-vous il est toujours bon d'être protégé.

Ce vieux sage homme.

Un homme de bien.

Prudent comme sont les vieillards.

Ménager.

Précautionneux.

Attentif.

Attentionné. Attentionneux.

Ménager.

Économe.

peut-être un peu avare, comme sont les vieillards.

Parce qu'il ne leur reste pas beaucoup de la vie.

Qui est le premier des biens.

Le plus grand bien.

Booz était bien économe.

Économe, ménager de son sang.

Économe, ménager de son argent.

Et même ménager de son temps.

Il s'était pourtant fait faire un beau sépulcre,

Un beau tombeau.

Un beau monument.

Taillé dans la pierre, dans le roc.

À même le roc.

Il avait dépensé un peu d'argent pour sa sépulture.

Pour être bien.

Et voilà qu'il prêtait, qu'il donnait, qu'il abandonnait son sépulcre à Jésus.

Oh oh voilà qui prouvait que son fils n'était pas si abandonné.

Puisqu'un homme riche lui prêtait son sépulcre.

Prêter son sépulcre, c'est peut-être le plus grand sacrifice que l'on puisse faire à un homme.

Surtout quand on est vieux.

Et que l'on comptait y reposer en paix.

Qu'on l'avait fait bâtir exprès pour cela.

Exprès pour soi.

Pour y reposer en paix.

Ce vieillard.

Décidément cet homme avait fait le plus grand sacrifice que l'on puisse faire à Jésus-Christ.

C'était un homme très bien.

Il connaissait le gouvernement.

Le gouverneur.

Le procurateur de Judée.

Il connaissait très bien Pilate.

Il était même peut-être très bien avec Pilate.

On ne sait pas.

On ne sait jamais.

Il avait d'autant plus de mérite à s'occuper de son fils.

Elle pleurait. Elle pleurait. Elle fondait.

Elle fondait en larmes.

Elle ravalait ses larmes avec sa salive.

Et en même temps elle avait la gorge sèche, brûlante.

De fièvre.

Le gosier sec.

Brûlant.

Elle avait la tête toute en eau.

Et il y en avait toujours.

Et il en sortait toujours.

Et en même temps elle avait la tête sèche, lourde, brûlante,

Pesante.

Et les yeux lui piquaient.

Et ça lui battait dans les tempes.

À force d'avoir pleuré.

Et d'avoir encore envie de pleurer.

Elle pleurait. Elle fondait. Son cœur se fondait.

Son corps se fondait.

Elle fondait de honte.

De charité.

Il n'y avait que sa tête qui ne fondait pas.

Elle marchait comme involontaire.

Elle ne se reconnaissait plus elle-même.

Elle n'en voulait plus à personne.

Elle fondait en bonté.

En charité.

C'était un trop grand malheur.

Sa douleur était trop grande.

C'était une trop grande douleur.

On ne peut pas en vouloir au monde pour un malheur qui dépasse le monde.

Ce n'était plus la peine d'en vouloir au monde.

D'en vouloir à personne.

Elle qui autrefois aurait défendu son garçon contre toutes les bêtes féroces.

Quand il était petit.

Aujourd'hui elle l'abandonnait à cette foule.

Elle laissait aller.

Elle laissait couler.

Qu'est-ce qu'une femme peut faire dans une foule.

Je vous le demande.

Elle ne se reconnaissait plus.

Elle était bien changée.

Elle allait entendre le cri.

Le cri qui ne s'éteindra dans aucune nuit d'aucun temps.

Ce n'était pas étonnant qu'elle ne se reconnaissait plus.

En effet elle n'était plus la même.

Jusqu'à ce jour elle avait été la Reine de Beauté.

Et elle ne serait plus, elle ne redeviendrait plus la Reine de Beauté que dans le ciel.

Le jour de sa mort et de son assomption.

Après le jour de sa mort et de son assomption.

Éternellement.

Mais aujourd'hui elle devenait la Reine de Miséricorde.

Comme elle sera dans les siècles des siècles.

Elle était tout de même contente que cet homme riche se soit occupé de son fils.

Un homme considéré.

Estimé.

Un notable commerçant.

Retraité.

Retiré des affaires.

Et même sans doute qu'il ait été bien avec son fils.

Car on ne donne pas comme ça son sépulcre à quelqu'un avec qui on n'était pas bien.

Que l'on ne connaît même pas.

Comme ça on voyait bien, on ne pourrait pas dire que son fils était un galvaudeux.

Un traîneux. Un vagabond.

Comme les princes des prêtres n'avaient pas cessé de le répéter devant le tribunal.

Bien qu'elle soit forcée d'avouer que depuis trois ans on ne l'avait pas vu à la maison.

Et qu'il courait les routes avec des gens qui n'étaient pas des ouvriers qui travaillaient.

Mais ce n'était pas à elle à charger son fils.

On a quelquefois bien du mal avec les enfants.

Madame.

Celui-là ne leur avait jamais donné que de la satisfaction.

Toutes les satisfactions que l'on peut demander dans l'existence.

Tant qu'il était resté garçon.

Tant qu'il était resté à la maison.

Jusqu'au jour, jusqu'au jour où il avait commencé sa mission.

Où il avait commencé d'accomplir sa mission.

Depuis qu'il avait quitté la maison.

Il ne leur avait donné que du souci.

Il faut le dire, il ne leur avait jamais donné que du souci.

On a souvent bien du souci avec les enfants.

On a souvent beaucoup de mal avec les enfants.

Lui qui leur avait donné autrefois tant de contentement.

Il ne leur avait donné autrefois que du contentement.

On a quelquefois bien du souci avec les enfants.

Quand ils grandissent.

Elle l'avait bien dit à Joseph.

Ça finirait mal.

Ils avaient été si heureux jusqu'à trente ans.

Ça ne pouvait pas durer.

Ça ne pouvait pas bien finir.

Ça ne pouvait pas finir autrement.

Il traînait avec lui par les routes des gens dont elle ne voulait pas dire du mal.

Mais la preuve qu'ils ne valaient pas cher.

C'est qu'ils ne l'avaient pas défendu.

D'abord il se faisait trop d'ennemis.

Ça n'est pas prudent.

Les ennemis se retrouvent toujours.

Les ennemis qu'on se fait se retrouvent toujours.

Il dérangeait trop de monde.

Aussi.

Le monde n'aime pas être dérangé.

On est quelquefois drôlement récompensé dans la vie.

Jamais un enfant n'avait autant fait pleurer sa mère.

On a quelquefois des drôles de récompense.

On est quelquefois souvent drôlement récompensé dans l'existence.

Jamais un garçon n'avait autant fait pleurer sa mère.

Que lui elle.

Depuis ces trois jours et ces trois nuits.

Depuis ces trois années.

Quel dommage. Une vie qui avait si bien commencé.

C'était dommage. Elle se rappelait bien.

Comme il rayonnait sur la paille dans cette étable de Bethléem.

Une étoile était montée.

Les bergers l'adoraient.

Les mages l'adoraient.

Les anges l'adoraient.

Qu'étaient donc devenus tous ces gens-là.

On est quelquefois drôlement récompensé.

Avec les enfants.

Une étoile était montée.

Les bergers l'adoraient.

Et lui présentaient de la laine.

Des toisons de laine.

Des écheveaux de laine.

Les rois l'adoraient.

Et lui présentaient l'or, l'encens et la myrrhe.

Les anges l'adoraient.

Les rois mages Gaspard, Melchior et Balthazard.

Qu'étaient donc devenus tous ces gens-là.

Qu'est-ce que tout ce monde-là était devenu.

Pourtant c'étaient les mêmes gens.

C'était le même monde.

Les gens étaient toujours les gens.

Le monde était toujours le monde.

On n'avait pas changé le monde.

Les rois étaient toujours les rois.

Et les bergers étaient toujours les bergers.

Les grands étaient toujours les grands.

Et les petits étaient toujours les petits.

Les riches étaient toujours les riches.

Et les pauvres étaient toujours les pauvres.

Le gouvernement était toujours le gouvernement.

Elle ne voyait pas qu'en effet il avait changé le monde.

C'étaient les mêmes bergers, les mêmes paysans de la campagne.

Qui étaient venus en ville.

Aujourd'hui.

Qui hurlaient après ses chausses.

On avait donc changé le monde depuis trente ans.

Elle ne voyait pas.

Qu'en effet il avait changé le monde.

Qui hurlait à la mort à ses trousses.

Elle ne voyait pas qu'en effet.

Il avait changé le monde.

L'un le tirait, l'autre le poussait.

À hue, à dia.

Mais celui qui le tirait et celui qui le poussait.

C'était toujours vers ce sommet du Golgotha.

C'est dommage, c'était une vie qui avait si bien commencé.

Tout le monde l'avait si bien accueilli.

À son entrée dans le monde.

À sa naissance.

Qu'on nommait sa Nativité.

Lui avait fait si bon accueil.

Quand il était petit.

Mais à présent qu'il était grand.

Qu'il était devenu un homme.

Personne ne voulait plus rien savoir.

C'était pourtant le même monde.

Et c'était pourtant le même homme.

Personne ne voulait plus rien savoir.

Et ils ne connaissaient rien, tous, que de taper dessus.

Avec des hurlements.

Des hurlements affreux.

Et des cris de mort.

Ils ne voyaient, ils n'entendaient plus rien.

Ils ne sentaient plus rien.

Ils n'avaient qu'une idée.

Ils n'avaient plus qu'une idée.

Que de taper dessus.

Quand il était petit tout le monde avait bien voulu de lui.

Tout le monde avait l'air content de le voir.

Et à présent qu'il était grand.

Qu'il était devenu un homme.

Personne n'en voulait plus.

On ne voulait même plus en entendre parler.

Le monde est changeant.

On en a pourtant parlé assez depuis dans le monde.

Personne voulait plus le voir.

Le monde est bien changé.

Les hommes sont bien changés.

Petits enfants, petits tourments. Grands enfants, grands tourments.

On a quelquefois bien de la peine, madame, avec les enfants.

On ne pourrait pas dire qu'elle avait joui de son garçon. Elle qui s'en était tant promis.

Elle qui s'en était tant félicité.

On ne pouvait pas dire qu'elle en avait profité.

On ne pourrait toujours pas dire.

Mais aussi c'était peut-être bien de leur faute.

On ne pouvait toujours pas dire.

C'était de leur faute. Ça devait être de leur faute.

Ils en avaient toujours été trop fiers.

Joseph et elle ils en étaient trop fiers.

Ça devait mal finir.

Il ne faut pas être fier comme ça.

Il ne faut pas être si fier que ça.

Il ne faut pas se glorifier.

En avaient-ils eu du contentement.

Le jour que ce vieillard Siméon

Avait entonné ce cantique au Seigneur.

Qui sera chanté dans les siècles des siècles.

Ainsi soit-il.

Et il y avait aussi cette vieille bonne femme dans le temple.

En avaient-ils été fiers.

Trop fiers.

Et cette fois aussi.

Cette fois qu'il brilla parmi les docteurs.

Ils en avaient eu d'abord un saisissement.

En rentrant à la maison.

Il n'était pas là.

Tout d'un coup il n'était pas là.

Ils croyaient l'avoir oublié quelque part.

Elle en était encore toute saisie.

Ils croyaient l'avoir perdu.

Ils croyaient d'abord l'avoir perdu.

C'est pas rigolo. Elle en tremblait encore.

C'était pas ordinaire.

Ce n'est pas une aventure ordinaire de perdre un garçon de douze ans.

Un grand garçon de douze ans.

Heureusement ils l'avaient retrouvé dans le temple au milieu des docteurs.

Assis au milieu des docteurs.

Les docteurs l'écoutaient religieusement.

Il enseignait, à douze ans il enseignait au milieu des docteurs.

Comme ils en avaient été fiers.

Trop fiers.

Il aurait dû tout de même se méfier ce jour-là.

Il était vraiment trop brillant, il brillait trop, il rayonnait trop parmi les docteurs.

Pour les docteurs.

Il était trop grand parmi les docteurs.

Pour les docteurs.

Il avait fait voir trop visiblement.

Il avait trop laissé voir.

Il avait trop manifesté qu'il était Dieu.

Les docteurs n'aiment pas ça.

Il aurait dû se méfier. Ces gens-là ont de la mémoire.

C'est même pour cela qu'ils sont docteurs.

Il les avait sûrement blessés ce jour-là.

Les docteurs ont une bonne mémoire.

Les docteurs ont la mémoire longue.

Il aurait dû se méfier. Ces gens-là ont la mémoire longue.

Et puis ils se tiennent entre eux.

Ils se soutiennent.

Les docteurs ont la mémoire longue.

Il les avait sûrement blessés ce jour-là.

À douze ans.

Et à trente-trois ans ils le rattrapaient.

Et cette fois ils ne le rateraient pas.

C'était la mort.

Ils l'avaient.

Ils avaient sa peau.

À trente-trois ans ils l'avaient rattrapé.

Les docteurs ont la mémoire longue.

Ils l'avaient rattrapé au demi-cercle.

Au demi-tour.

Au détour de sa route charnelle.

Au détour de sa route mystique.

Et ils l'avaient acheminé à la mort.

À cette mort.

Ils le tenaient bien.

Cette fois.

Et ils ne le lâcheraient pas.

Ils ne le lâcheraient plus.

Ah il ne brillait plus au milieu des docteurs.

Assis au milieu des docteurs.

Il ne brillait pas.

Et pourtant il brillait éternellement.

Plus qu'il n'a jamais brillé.

Plus qu'il n'a brillé nulle part.

Et voilà quelle était la récompense.

On est quelquefois drôlement récompensé dans la vie.

On a quelquefois des drôles de récompenses.

Et ensemble ils faisaient un si bon ménage.

Le garçon et la mère.

Ils avaient été si heureux dans ce temps-là.

La mère et le garçon.

Voilà quelle était sa récompense.

Voilà comme elle était récompensée.

D'avoir porté.

D'avoir enfanté.

D'avoir allaité.

D'avoir porté.

Dans ses bras.

Celui qui est mort pour les péchés du monde.

D'avoir porté.

D'avoir enfanté.

D'avoir allaité.

D'avoir porté.

Dans ses bras.

Celui qui est mort pour le salut du monde.

D'avoir porté.

D'avoir enfanté.

D'avoir allaité.

D'avoir porté.

Dans ses bras.

Celui par qui les péchés du monde seront remis.

Et de lui avoir fait sa soupe et bordé son lit jusqu'à trente ans.

Car il se laissait volontiers environner de sa tendresse.

Il savait que ça ne durerait pas toujours.

Et maintenant elle venait de le voir traiter comme il n'est pas agréable à une mère de voir traiter son garçon. Des traitements. Des traitements. Des coups. Des injures sans nom. Des outrages. Des traitements, qu'il vaut mieux n'en pas parler.

Des traitements sans nom.

Et la mort au bout.

Avec la mort au bout.

On a tant de mal avec les enfants.

On les élève et puis après.

Elle sentait tout ce qui se passait dans son corps.

Surtout la souffrance.

Les enfants ne vous donnent que du tourment.

Tout ce qu'il y avait dans son corps.

Dans son corps comme dans le sien.

Elle sentait son corps comme le sien.

Parce qu'elle était mère.

Elle était une mère.

Elle était sa mère.

Sa mère des œuvres de l'Esprit et sa mère charnelle.

Sa mère nourricière.

Il avait aussi une crampe.

Il avait surtout une crampe.

Une crampe effroyable.

À cause de cette position.

De rester toujours dans la même position.

Elle la sentait.

D'être forcé d'être dans cette affreuse position.

Une crampe de tout le corps.

Et tout le poids de son corps portait sur ses quatre Plaies.

Il avait des crampes.

Elle savait combien il souffrait.

Elle sentait bien combien il avait de mal.

Elle avait mal à sa tête et à son flanc et à ses Quatre Plaies.

Et lui en lui-même il se disait : Voilà ma mère. Qu'est-ce que j'en ai fait.

Voilà ce que j'ai fait de ma mère.

Cette pauvre vieille femme.

Devenue vieille.

Qui nous suit depuis vingt-quatre heures.

De prétoire en prétoire.

Et de prétoire en place publique.

Honore ton père et ta mère.

Afin de vivre longuement.

C'était la loi de son père.

Notre père qui êtes aux cieux.

Comme il l'avait dictée à Moïse.

Le premier Législateur.

Son père qui parle dans le Buisson Ardent.

Et lui voilà comment il vivait longuement.

Sinon dans son éternité.

Et voilà comme il honorait son père et sa mère.

Sinon dans leur éternité.

Il en avait fait cette vieille femme.

C'est l'habitude, quand les parents sont vieux.

Que les enfants nourrissent leurs père et mère.

Quand les père et mère sont devenus vieux.

C'est l'habitude. Et c'est la loi.

Quand les enfants ont grandi.

Quand les enfants sont devenus grands.

Devenus des hommes.

C'est l'habitude. C'est la loi. C'est la règle.

La loi de son père.

Et lui voilà comment il nourrissait ses parents.

Sinon dans son éternité.

Il lui avait fait faire son chemin de croix, à sa mère.

De loin, de près.

D'assez loin, d'assez près.

Elle avait suivi.

Un chemin de croix beaucoup plus douloureux que le sien.

Car il est beaucoup plus douloureux de voir souffrir son fils.

Que de souffrir soi-même.

Il est beaucoup plus douloureux de voir mourir son fils.

Que de mourir soi-même.

Il les avait nourris.

Ses parents.

Mais lui-même c'était de fiel et d'amertume.

C'est l'habitude, c'est la loi, c'est la règle.

Que les fils rapportent quelque chose à leurs parents.

Que les enfants.

En grandissant.

Apportent quelque chose à leurs parents.

En vieillissant.

Lui voilà ce qu'il avait rapporté à ses père et mère.

Voilà ce qu'il avait apporté à sa mère.

Ce qu'il lui avait mis dans la main.

Voilà comme il l'avait récompensée.

Il lui avait apporté.

Il lui avait mis dans la main

Les Sept Douleurs.

Il lui avait apporté.

Il lui avait mis dans la main

D'être la Reine.

D'être la Mère.

Il lui avait apporté

D'être

Notre Dame des Sept Douleurs.

Il faut dire aussi.

Il faut dire que c'était un présent royal.

Il faut dire que c'était un présent éternel.

Alors comme tous les mourants il repassait sa vie entière.

Toute la vie à Nazareth.

Il se revoyait tout le long de sa vie entière.

Et il se demandait comment il avait pu se faire tant d'ennemis.

C'était une gageure. Comment il avait réussi à se faire tant d'ennemis.

C'était une gageure. C'était un défi.

Ceux de la ville, ceux des faubourgs, ceux des campagnes.

Tous ceux qui étaient là, qui étaient venus.

Qui (s')étaient rassemblés là.

Qui étaient assemblés.

Comme à une fête.

À une fête odieuse.

Les journaliers, les hommes de peine.

Les mercenaires, les rentiers.

Le grand-pontife, les princes des prêtres.

Les écrivains, c'est-à-dire les scribes.

Les pharisiens, les péagers.

Les publicains qui sont les percepteurs.

Les Pharisiens et les Sadducéens.

Chrétiens, vous savez pourquoi :

C'est qu'il était venu annoncer le règne de Dieu.

Et en somme tout ce monde-là avait raison.

Tout ce monde-là ne se trompait pas tant que ça.

C'était la grande fête qui était donnée pour le salut du monde.

Seulement c'était lui qui en faisait les frais.

Les marchands, il comprenait encore.

C'était lui qui avait commencé.

Il s'était mis un jour en colère après eux.

Dans une sainte colère.

Et il les avait chassés du temple.

À grands coups de fouet.

peut-être à grands coups de fouet.

Et avec des mots qui ne devaient pas leur être agréables.

Il les avait ainsi gênés.

Dans leurs affaires.

Dérangés.

Momentanément.

Dans leurs affaires.

Il avait porté atteinte à leurs intérêts.

Il pouvait leur avoir nui dans leur négoce.

Il avait chassé les trafiquants du temple.

Tous ceux qui vendaient et qui achetaient dans le temple.

Il avait renversé les tables des changeurs.

Mensas numerariorum.

Et les sièges de ceux qui vendaient des pigeons.

Et cathedras vendentium columbas.

Et il ne permettait pas que personne portât aucun vaisseau par le temple.

Et non sinebat ut quisquam transferret vas per templum.

Mais aussi ces marchands c'était de leur faute.

Pourquoi avaient-ils transformé en une caverne de voleurs

La maison de Dieu.

N'est-il pas écrit.

Nonne scriptum est :

Que ma maison sera appelée par toutes les nations la maison de la prière.

Quia domus mea, domus orationis vocabitur omnibus gentibus.

Mais vous vous en avez fait une caverne de voleurs.

Vos autem fecistis eam speluncam latronum.

Et il continuait d'enseigner dans le temple.

Et de guérir.

Il enseignait tous les jours dans le temple.

Voilà ce qu'il avait fait à Jérusalem.

Presque aussitôt après son entrée a Jérusalem.

Presque aussitôt après qu'il fut entré à Jérusalem.

Monté sur l'ânon d'une ânesse.

Afin que les Écritures des Prophètes

Fussent accomplies.

D'ailleurs il n'aimait pas les commerçants.

Ouvrier.

Fils d'ouvriers.

Fils nourricier.

Fils nourri.

De famille ouvrière.

D'instinct il n'aimait pas les commerçants.

Il n'entendait rien au commerce.

Au négoce.

Il ne savait que travailler.

Il était porté à croire que tous les commerçants étaient des voleurs.

Les marchands, les marchands du Temple il comprenait encore.

Mais les autres.

Connue un mourant, comme tous les mourants il repassait sa vie entière.

Au moment de la présenter.

De la rapporter à son père.

Un jour les camarades l'avaient trouvé trop grand.

Simplement.

Un jour les amis, les amis l'avaient trouvé trop grand.

Un jour les citoyens l'avaient trouvé trop grand.

Et il n'avait pas été prophète en son pays.

Chrétiens, vous savez pourquoi :

C'est qu'il était venu annoncer le règne de Dieu.

Tout le monde l'avait trouvé trop grand.

Ça se voyait trop qu'il était le fils de Dieu.

Quand on le fréquentait.

Les Juifs l'avaient trouvé trop grand.

Pour un Juif.

Trop grand Juif.

Ça se voyait trop qu'il était le Messie prédit par les Prophètes.

Annoncé, attendu depuis les siècles des siècles.

Il repassait, il repassait toutes les heures de sa vie.

Toute la vie à Nazareth.

Il avait semé tant d'amour.

Il récoltait tant de haine.

Son cœur lui brûlait.

Son cœur dévoré d'amour.

Et à sa mère il avait apporté ceci.

De voir ainsi traiter

Le fruit de ses entrailles.

Et c'étaient les mêmes qui le jour des rameaux.

Quelques jours avant.

Quelques mois, quelques semaines.

Le dimanche des Rameaux.

Lui avaient fait cette entrée triomphale.

Une entrée triomphale à Jérusalem.

Son cœur lui brûlait.

Son cœur lui dévorait.

Son cœur brûlé d'amour.

Son cœur dévoré d'amour.

Son cœur consumé d'amour.

Et jamais homme avait-il soulevé tant de haine.

Jamais homme avait-il soulevé une telle haine.

C'était une gageure.

C'était comme un défi.

Comme il avait semé il n'avait pas récolté.

Son père savait pourquoi.

Ses amis l'aimaient-ils autant que ses ennemis le haïssaient.

Son père le savait.

Ses disciples ne le défendaient point autant que ses mis le poursuivaient.

Ses disciples, ses disciples l'aimaient-ils autant que ses ennemis le haïssaient.

Son père le savait.

Ses apôtres ne le défendaient point autant que ses ennemis le poursuivaient.

Ses apôtres, ses apôtres l'aimaient-ils autant que ses ennemis le haïssaient.

Son père le savait.

Les onze l'aimaient-ils autant que le douzième, que le treizième le haïssait.

Les onze l'aimaient-ils autant que le douzième, que le treizième l'avait trahi.

Son père le savait.

Son père le savait.

Qu'était-ce donc que l'homme.

Cet homme.

Qu'il était venu sauver.

Dont il avait revêtu la nature.

Il ne le savait pas.

Comme homme il ne le savait pas.

Car nul homme ne connaît l'homme.

Car une vie d'homme.

Une vie humaine, comme homme, ne suffit pas à connaître l'homme.

Tant il est grand. Et tant il est petit.

Tant il est haut. Et tant il est bas.

Qu'est-ce que c'était donc que l'homme.

Cet homme.

Dont il avait revêtu la nature.

Son père le savait.

Et ces soldats qui l'avaient arrêté.

Qui l'avaient conduit de prétoire en prétoire.

Et de prétoire en place publique.

Et ces bourreaux qui l'avaient crucifié.

Des gens qui faisaient leur métier.

Ces soldats qui jouaient aux dés.

Qui se partageaient ses habits.

Qui jouaient ses habits aux dés.

Qui jetaient le sort sur sa robe.

C'étaient encore eux qui ne lui en voulaient pas.

Que trente ans de labeur et trois ans de labeur,

Que trente ans de retraite et trois ans de public,

Trente ans dans sa famille et trois ans dans le peuple,

Trente ans d'atelier et trois ans de public,

Trois ans de vie publique et trente ans de privée

N'avaient point couronnée,

Trente ans de vie privée et trois ans de publique,

(Il avait mis sa vie privée avant sa vie publique.

Sa retraite avant sa prédication)

(Avant sa passion et sa mort)

Puisqu'il y fallait encore le couronnement de cette mort.

Puisqu'il y fallait l'accomplissement de ce martyre.

Puisqu'il y fallait l'attestation de ce témoignage.

Puisqu'il y fallait la consommation de ce martyre et de cette mort.

Puisqu'il y fallait, puisqu'il y avait fallu l'achèvement de ces trois jours d'agonie.

Puisqu'il y fallait l'épuisement de cette agonie suprême et de cette épouvantable angoisse.

Et la descente de croix, et l'ensevelissement ; les trois jours de sépulture, les trois jours de tombeau, les trois jours dans les limbes, jusqu'à la résurrection ; et la singulière vie post mortem, les pèlerins d'Emmaüs, l'ascension du quarantième jour.

Puisqu'il y fallut.

C'est que le Fils de Dieu savait que la souffrance

Du fils de l'homme est vaine à sauver les damnés,

Et s'affolant plus qu'eux de la désespérance,

Jésus mourant pleura sur les abandonnés.

De la désespérance commune.

Plus qu'eux s'affolant de leur désespérance, de la même désespérance, qu'eux, de leur propre désespérance.

Il avait le même désespoir qu'eux. Mais il était Dieu : quel ne l'eut-il pas.

Comme il sentait monter à lui sa mort humaine,

Sans voir sa mère en pleur et douloureuse en bas,

Droite au pied de la croix, ni Jean ni Madeleine,

Jésus mourant pleura sur la mort de Judas.

Mourant de sa mort, de notre mort humaine, seulement, il pleura sur cette mort éternelle.

Lui le premier des saints sur le premier damné ;

Lui le plus grand des saints sur le plus grand damné ;

Lui l’auteur, l’inventeur de la rédemption,

Sur le premier objet de la damnation,

Lui l’auteur, l’inventeur du rachat de nos âmes ;

Lui l’inaugurateur de la salvation,

Sur l’inaugurateur de la perdition.

Sur le premier objet de la réprobation

Éternelle.

Car il avait connu que le damné suprême

Jetait l’argent du sang qu’il s’était fait payer,

Le prix du sang, les trente deniers dans la monnaie de ce pays-là ;

Comptés en deniers, dans les deniers de ce temps-là de ce pays-là.

Les trente deniers, prix temporel, monnaie temporelle, deniers temporels.

Ces trente malheureux deniers, prix d’un sang éternel ;

Ces trente malheureux deniers on aurait mieux fait de ne pas les fabriquer.

De ne jamais les fabriquer.

Malheureux celui qui les frappa.

À l’effigie de César.

Malheureux celui qui les reçut.

À l’effigie de César.

Malheureux tous ceux qui eurent affaire à eux.

À l’effigie de César.

Malheureux tous ceux qui eurent commerce avec eux.

À l’effigie, à l’effigie de César.

Qui se les passèrent de main en main.

Deniers dangereux.

Plus faux.

Infiniment plus dangereux.

Infiniment plus faux que de la fausse monnaie.

Et pourtant ils étaient de bon aloi.

Ces deniers dont il sera parlé tout le temps. Et plus que dans le temps.

Au delà du temps.

Les prêtres mêmes qui les avaient donnés.

Ne voulurent plus les recevoir.

Les prêtres, les sacrificateurs, les sénateurs qui les avaient donnés.

Pour payer le sang innocent.

Ne voulurent plus les reprendre.

Alors voyant Judas.

Qui le trahit

Qui le livra.

Qu'il était condamné.

Conduit par la pénitence.

Par le regret, par le remords, par le repentir.

Il rapporta les trente deniers d'argent.

Aux princes des prêtres.

Et aux sénateurs.

Disant

J'ai péché, livrant le sang juste

Mais ils dirent :

Qu'est-ce que ça nous fait ?

Arrange-toi.

Et jetant les deniers d’argent dans le temple.

Il se retira.

Et partant se suspendit par un lacet.

Se pendit.

Or les princes des prêtres.

Ayant pris les deniers d’argent.

Dirent.

Il n’est pas permis de les mettre dans le trésor.

Sacré.

Parce que c’est le prix du sang.

Or ayant tenu conseil.

Ils en achetèrent le champ d’un potier.

Pour la sépulture des étrangers.

À cause de cela ce champ fut appelé.

Hâceldama.

C’est-à-dire.

Le champ du sang.

Jusqu’au jour d’aujourd’hui.

Alors fut empli ce qui fut dit par le prophète Jérémie,

Disant.

Et ils reçurent trente deniers d’argent prix du mis à prix.

Qu’ils mirent à prix par les fils d’Israël.

Et ils les donnèrent pour le champ d’un potier.

Comme le Seigneur me l’ordonna.

Que se pendait là-bas l’abandonné suprême,

Quelque part, sous un figuier de ce pays-là.

Et que l'argent servait pour le champ du potier.

Tout le passé lui était présent. Tout le présent lui était présent. Tout l'avenir, tout le futur lui était présent. Toute l'éternité lui était présente.

Ensemble et séparément.

Il voyait tout d'avance et tout en même temps.

Il voyait tout après.

Il voyait tout avant.

Il voyait tout pendant, il voyait tout alors.

Tout lui était présent de toute éternité.

Il connaissait l'argent et le champ du potier.

Les trente deniers d'argent.

Étant le Fils de Dieu, Jésus connaissait tout,

Et le Sauveur savait que ce Judas, qu'il aime,

Il ne le sauvait pas, se donnant tout entier.

Et c'est alors qu'il sut la souffrance infinie,

C'est alors qu'il connut, c'est alors qu'il apprit,

C'est alors qu'il sentit l'infinie agonie,

Et cria comme un fou l'épouvantable angoisse,

Clameur dont chancela Marie encor debout,

Et par pitié du Père il eut sa mort humaine.

Pourquoi vouloir, ma sœur, sauver les morts damnés de l'enfer éternel, et vouloir sauver mieux que Jésus le Sauveur ?

JEANNETTE

(Elle cesse de filer.)

Alors, madame Gervaise, qui faut-il donc sauver ? Comment

faut-il sauver ?

MADAME GERVAISE

Nous sommes derrière Jésus, mon enfant, nous marchons derrière lui, nous sommes son troupeau de disciples. Nous devons recevoir ses enseignements. Nous sommes le troupeau qui marche derrière le pasteur. Nous n'avons pas à courir, nous ne devons pas marcher devant lui.

Nous sommes son troupeau d'élèves. Nous sommes le troupeau. Nous devons marcher derrière le pasteur. Nous n'avons pas à courir devant. Comme des moutons qui ont le tourniquet. Nous n'avons pas à nous empêtrer dans ses jambes. Nous n'avons pas à l'empêtrer.

Dans sa marche.

JEANNETTE

Madame Gervaise, je vous le demande : qui donc faut-il sauver ? Comment faut-il sauver ?

MADAME GERVAISE

En imitant Jésus ; en écoutant Jésus :

(Un silence.)

Le maître sauveur n'a pas même essayé de sauver les damnés, après, car il avait connu que l'enfer éternel est enclos sans espoir.

Il avait connu que ce sont des âmes forcloses, déclarées forcloses.

(Un silence.)

Le maître sauveur n'a pas semé ni voulu que l'on semât, car il savait multiplier les pains ; il ne faut pas semer, car il sait encore multiplier les pains.

Nemo potest. Nul ne peut servir deux maîtres. Ou bien en effet il aura l'un en haine, et aimera l'antre : ou bien il soutiendra l'un, et méprisera l'autre. Vous ne pouvez servir Dieu et mammon.

C'est pourquoi je vous dis, ne soyez pas soucieux pour votre âme de ce que vous mangerez, ni pour votre corps de ce que vous vous vêtirez. Est-ce que l'âme n'est pas plus que la nourriture ; et le corps plus que le vêtement ?

Regardez les oiseaux du ciel (parce) qu'ils ne sèment, ni ne moissonnent, ni n'amassent dans des greniers : et votre père Céleste les nourrit. Est-ce que vous n'êtes pas davantage de plus de prix qu'eux.

Or qui de vous le pensant peut ajouter à sa stature une coudée ?

Et du vêtement qu'êtes-vous soucieux ? Considérez les lis des champs comme ils croissent ; ils ne travaillent, ni ne filent.

Or je vous le dis, que Salomon dans toute sa gloire n'a pas été couvert comme l'un d'eux.

Or si le foin des champs, qui est aujourd'hui, et demain est envoyé au four, Dieu le vêt ainsi ; combien plus vous, gens de modique foi ?

Ne soyez donc pas soucieux, disant : Que mangerons-nous, ou que boirons-nous, ou de quoi nous couvrirons-nous ?

Tout cela en effet ce sont les peuples qui le recherchent. Votre père en effet le sait, que vous manquez de tout cela.

Cherchez donc d'abord le royaume de Dieu, et sa justice ; et tout cela vous sera ajouté.

Ne soyez donc point soucieux pour le lendemain ; le jour du lendemain en effet sera soucieux pour soi-même ; au jour suffit sa peine.

Malitia sua : sa peine, sa malice, son mal, son travail ; son épreuve ; hélas peut-être sa tentation ; peut-être son péché.

(Un silence bref.)

Le maître sauveur n'a pas voulu que Pierre tirât l'épée contre les soldats en armes : il ne faut pas faire la guerre.

Et ecce unus. Et voici que l'un de ceux qui étaient avec Jésus, étendant la main, tira son épée...

JEANNETTE

Ils avaient donc des épées.

MADAME GERVAISE

Ils avaient donc des épées. Tira son épée, et frappant le serviteur du prince des prêtres, lui coupa l'oreille.

Alors lui dit Jésus : Remets ton épée à sa place : tous ceux en effet qui auront pris l'épée, périront par l'épée.

Ou est-ce que tu crois que je ne puis demander à mon père, et il m'enverra aussitôt plus de douze légions d'anges ?

Comment donc seront emplies les Écritures, qu'il faut que ça arrive ainsi ?

À cette heure dit Jésus aux foules : Comme vers un larron vous êtes sortis avec des épées et des bâtons pour m'appréhender : tous les jours j'étais assis auprès de vous enseignant dans le temple, et vous ne m'avez pas saisi.

Or tout ceci est arrivé, afin que fussent accomplies les Écritures des prophètes.

JEANNETTE

Alors tous les disciples, l'ayant abandonné, s'enfuirent.

MADAME GERVAISE

Mon enfant, mon enfant, comme tu parles, tu ne parles pas comme une petite fille.

JEANNETTE

Je crois... je crois...

MADAME GERVAISE

Ma fille, mon enfant, qu'oses-tu dire ?

JEANNETTE

Je crois que si j'avais été là, je ne l'aurais pas abandonné.

MADAME GERVAISE

Ma fille, mon enfant, gardons-nous du péché d'orgueil. Nous sommes faits comme les autres. Nous sommes des chrétiens comme les autres. Nous eussions été comme eux. Nous eussions été parmi eux. Nous eussions fait comme eux. Il fallait que les Écritures fussent accomplies. Tous l'ont abandonné. Pas un seul n'est resté. Il fallait.

Tous l'ont abandonné. Nous l'eussions abandonné aussi.

Si nous avions été avec eux, si nous avions été parmi eux, si nous avions été d'eux, d'entre eux, si nous avions été eux, nous aurions fait comme eux. Comment veux-tu, pourquoi veux-tu que nous n'aurions pas fait comme eux.

Nous ne valons pas mieux que les autres.

JEANNETTE

Ce n'étaient pas des Français. Ce n'étaient pas des chevaliers français.

MADAME GERVAISE

Ma fille, mon enfant, comme tu parles. Tu ne parles pas comme les autres, tu ne parles pas comme tout le monde.

JEANNETTE

Jamais des Français ne l'auraient abandonné.

MADAME GERVAISE

Ma fille, mon enfant, comme tu parles. Tu ne parles pas comme une bonne chrétienne, comme une chrétienne ordinaire.

JEANNETTE

Des chevaliers français, des paysans français, jamais des gens de chez nous ne l'auraient abandonné.

Des gens du pays français. Des gens du pays lorrain.

MADAME GERVAISE

Ma fille, mon enfant, ne pensons point orgueilleusement, gardons-nous du péché d'orgueil. Ces hommes dont tu parles si légèrement, ils furent les premiers chrétiens.

JEANNETTE

Ils furent heureux.

MADAME GERVAISE

Ils étaient les premiers chrétiens. C'était pas facile, d'être les premiers chrétiens.

JEANNETTE

Ils étaient heureux.

MADAME GERVAISE

C'était pas facile. La terre tout entière, la terre était toute embarbouillée de paganisme. La terre tout entière était toute asservie au culte des faux dieux. Ils furent les premiers chrétiens du christianisme. Ils eurent à débarbouiller la terre, toute la terre, comme un enfant souillé.

Ils furent les premiers chrétiens de la chrétienté. Après Jésus les inventeurs de la chrétienté.

JEANNETTE

Ils étaient heureux. Jamais nos Français ne l'auraient abandonné ainsi, jamais nos Français ne l'auraient abandonné.

Des gens du pays lorrain, des gens du pays français.

MADAME GERvAISE

Ma fille, mon enfant, comme tu parles. Tu ne parles pas comme il faut. Ils furent les premiers saints du christianisme ; ils furent les premiers chrétiens de la chrétienté ; ils furent les premiers saints de la chrétienté, les fondateurs (mouvement de Jeannette), après Jésus, (s'enhardissant) avec Jésus les fondateurs de toute chrétienté, les auteurs, les deuxièmes auteurs, les auteurs de chrétienté, les inaugurateurs de la chrétienté, les fondateurs, les auteurs, les inaugurateurs, les inventeurs de toute chrétienté.

Après Dieu, avec Dieu, s'il plait à Dieu les créateurs de toute chrétienté.

JEANNETTE

Jamais les gens de par ici ne l'auraient abandonné.

MADAME GERVAISE

Il fallait que les Écritures fussent accomplies. Ne parlons point légèrement, mon enfant, ma fille, ne parle point à la légère de ces vieux saints, des premiers saints. Ils furent les premiers patrons, nos premiers patrons. Ils furent les instituteurs et les fourriers des autres, de tous ceux qui vinrent après. De nous ingrats. Ceux qui préparèrent le logement. Le logement de la terre périssable. Le logement éternel périssable impérissable de la terre périssable. Ils firent les logis, ils firent le logement, le cantonnement, ils préparèrent les logements pour les autres. Pour tous les autres. Et pour nous par conséquent. Pour nous dedans les autres. Pour nous ingrats. Ils avaient des noms. Ils furent les premiers disciples, ils furent les douze apôtres. Les vieux saints, les saints éternels, les premiers vieux saints, les éternels vieux saints. Ils avaient des noms qui comptent, mon enfant. Ils ne portaient pas des noms d'avant-hier matin. Du treizième et du quatorzième siècle. Ils ont commencé tout. Après Jésus. Avec Jésus. Les vieux saints éternels. Ils portèrent des noms qui retentiront éternellement. Ils portèrent, ils inaugurèrent des noms que des milliers et des milliers et des centaines de milliers de chrétiens revêtirent ensuite, ont revêtus depuis, pour s'en faire des patrons ; et parmi ces milliers et ces milliers, dans ces milliers et ces milliers et ces centaines de milliers de chrétiens des saints eux-mêmes qui revêtirent le même nom, des saints à leur tour, des milliers et des milliers de saints qui ayant revêtu le même nom, eux aussi pour s'en faire un patron, à leur suite eux-mêmes devinrent eux-mêmes patrons, à leur tour eux-mêmes patrons, resanctifièrent le nom, le revêtirent d'une gloire nouvelle, par dessus l'ancienne gloire, comme une longue file, comme une compagnie spirituelle, comme une famille éternelle, temporelle éternelle, derrière le chef de file, comme une famille particulière, une famille spirituelle particulière, une famille spirituelle temporelle éternelle, derrière le particulier père de famille, chef de famille, derrière le patron initial, derrière le premier patron ; qui ainsi doublèrent, triplèrent le nom, qui en doublèrent, qui en triplèrent la sainteté, qui en doublèrent, qui en triplèrent la gloire, qui en doublèrent, qui en triplèrent le patronage, qui doublèrent, qui triplèrent, qui quadruplèrent, qui quintuplèrent, qui sextuplèrent, qui décuplèrent, qui centuplèrent le patronage. Voilà ce que c'est, mon enfant. Voilà les noms qu'ils portaient. C'est comme ça que ça se gouverne. Ils furent les saints des saints, de ceux qui ensuite devinrent les saints. Ils furent les patrons des patrons, de ceux qui depuis sont devenus les patrons. Ils furent les saints des premiers jours.

Ils ne portaient pas des noms d'aujourd'hui ni d'hier.

JEANNETTE

Ils furent heureux.

MADAME GERVAISE

Ils portèrent, ils soutinrent les premiers noms du monde, ils soutinrent, ils avancèrent, ils lancèrent, ils inventèrent les premiers noms de la chrétienté. Mon enfant, mon enfant, ils inventèrent la chrétienté même ; après Jésus, avec Jésus ils soutinrent, ils avancèrent, ils lancèrent, ils inventèrent la chrétienté. À présent que c'est fait, c'est pas malin, il est facile de parler d'eux à la légère, fait pour toujours, fait pour éternellement, fait par eux et indéfaisable. Fait par eux pour nous. Quand nous le faisons, mon enfant, c'est fait. Mais quand ils le faisaient, ce n'était pas fait. Ils ont eu, mon enfant, ils ont eu à débarbouiller le monde, tout le monde, ils ont eu à débarbouiller la terre.

La face de la terre.

Ils promurent les premiers noms du monde. Ils promurent la chrétienté même.

JEANNETTE

Ils furent heureux.

MADAME GERVAISE

Ils soutinrent de grands noms. C'étaient de grands noms mon enfant, ces noms dont tu parles à la légère, c'étaient de sacrés noms. Ils furent les premiers des chrétiens. Ils furent les premiers des saints. Leurs noms furent les premiers des noms. Ils furent les premiers des noms chrétiens. Ils furent le nom chrétien même. Après Jésus, avec Jésus ils imaginèrent, ils soutinrent, ils inventèrent, ils portèrent, ils introduisirent, ils avancèrent, ils lancèrent d'être saint, d'être chrétien même, de porter le nom chrétien. Ils firent le commencement. Ils commencèrent d'être chrétien. Ils commencèrent d'être saint. Ils furent les initiaux, les saints initiaux, les chrétiens initiaux, les initiateurs de tout.

Nous autres nous faisons la suite, nous avons pris la suite. Ce n'est pas la même chose.

Ce n'est pas pareil.

Nous avons pris leur suite.

Chrétiens et successeurs.

Fils et successeurs.

Fils en esprit et successeurs en esprit.

Fils spirituels et successeurs spirituels.

JEANNETTE

Ils furent heureux.

MADAME GERVAISE

Où il n'y avait rien, ils firent tout. Et où il y a tout, c'est à peine si nous faisons quelque chose. Ils avaient des noms qui furent pris, qui seront pris éternellement comme une couverture ; comme une couverture de patronage ; des noms qui notamment furent pris, qui excellemment furent pris et seront pris éternellement par les saints leurs successeurs.

Et où il y a tout, ce qu'il y a, nous le perdons.

JEANNETTE

Ils furent heureux.

MADAME GERVAISE

Ils furent donc un peu comme Jésus. Ils furent les saints des saints, des autres saints, des saints leurs successeurs, des lignées des autres saints leurs successeurs. Ils furent les patrons des patrons, des autres patrons, des patrons leurs successeurs, des lignées des autres patrons leurs successeurs. Ils furent donc ainsi un peu comme Jésus. Jésus fut le saint de tous les saints, le patron de tous les patrons, le saint, le patron de toute la chrétienté. Ce que Jésus fut pour tout le monde, pour toute la chrétienté, pour eux-mêmes et pour tous les autres saints, pour eux-mêmes et pour tous les autres chrétiens, pour tous ceux du christianisme, pour tous ceux de la chrétienté, pour tous ceux de la communion, eux-mêmes ils le furent à leur tour, par l'organisation du patronage, par une délégation, par une répartition, par un partage, par une communication, par une distribution, par un report, par une véritable imitation de Jésus, eux-mêmes ils le furent pour leurs familles particulières, pour leurs lignées particulières, pour leurs lignées spirituelles, dans la grande famille chrétienne, dans la grande famille commune, dans la grande famille de la communion. Une sorte de redistribution éternelle avait été opérée d'avance pour leur gloire. Et dans la famille particulière de chacun, dans la famille spirituelle, dans chaque famille particulière il y a eu de grands saints.

Par un répartement, par une répercussion de la sainteté ; par une redistribution, par un reversement du patronage.

JEANNETTE

Ils furent heureux.

MADAME GERVAISE

C'étaient Jacques et Jean, fils de Zébédée. Ces noms dont tu parles à la légère, mon enfant, ils se nommaient deux frères, Simon qui est appelé Pierre, et André son frère, envoyant leur filet dans la mer (ils étaient en effet pêcheurs).

Et il leur dit : Venez derrière moi, et je vous ferai devenir pêcheurs d'hommes.

Mais eux, sur-le-champ ayant laissé leurs filets, le suivirent.

Et s'avançant de là, il vit deux autres frères, Jacques, fils de Zébédée, et Jean son frère, sur une barque avec Zébédée leur père, refaisant leurs filets ; et il les appela.

Or eux, aussitôt ayant laissé leurs filets et leur père, le suivirent.

JEANNETTE

Ils furent heureux.

MADAME GERVAISE

Ils inaugurèrent la cité de Dieu, le royaume de Dieu sur la terre. Que votre règne arrive. Le règne de Dieu sur terre. Pour les saints leurs successeurs. Pour les chrétiens, pour tous les chrétiens leurs successeurs. Pour nous. Le salaire qu'il avait gagné si durement. Les âmes des pécheurs qu'il avait rachetés. Ils se nommaient, n'y en avait-il pas un qui se nommait Zacharie ; ils se nommaient le premier, Simon, qui se nomme Pierre, Simon, dit Pierre, et André son frère ;

Jacques, fils de Zébédée, et Jean son frère ; Philippe, et Barthélemy ; Thomas, et Matthieu le publicain ; il y en avait de plusieurs métiers ; Jacques, fils d'Alphée, et Thaddée ;

Simon le Chananéen...

JEANNETTE

Et Judas Iscariot, qui même le trahit.

MADAME GERVAISE

Malheureuse, malheureuse enfant. Mais l'un d'eux reçut son nom des mains mêmes de Jésus, des propres mains de Jésus.

JEANNETTE

Celui-là même qui le renia. Des gens de ce pays-ci ne l'auraient jamais renié.

MADAME GERVAISE

Malheureuse, malheureuse enfant, quelle idée court derrière ta tête ? Et ne nos inducas in tentationem. Gardons-nous, mon enfant, gardons-nous du péché d'orgueil, gardons-nous de la tentation d'orgueil. Il reçut son nom des mains mêmes de Jésus-Christ. Ce fut un beau baptême de nom, mon enfant. Jésus-Christ fut son parrain et sa marraine. Cet homme, dont vous parlez si légèrement, ce chrétien, ce saint, primus, le premier de tous, il n'eut pas seulement ce que nous avons tous eu : le baptême de l'eau. Il n'eut pas seulement ce que nous n'avons pas : le baptême du sang. Il eut aussi, par un surcroît, le baptême du nom. Ce fut Jésus-Christ qui lui donna son nom. Quel nom. Son nom éternel pour l'éternité de l'Église. Il reçut son nom, son nouveau nom, son vrai nom, son seul nom, des propres mains, des mains mêmes de Jésus.

Le premier Pontife. Le premier Romain.

Le détenteur des Clefs.

Le premier évêque de Rome.

Son nom inventé ; son nom nouveau ; son nom créé.

Leur dit Jésus : Mais vous, qui dites-vous que je suis ?

Répondant Simon Pierre dit : Tu es le Christ, fils du Dieu vivant.

Mais répondant Jésus, lui dit : Heureux tu es Simon Bar-jona, parce que la chair et le sang ne te l'a pas révélé, mais mon Père qui est aux cieux.

Et Je te le dis, que tu es Pierre, et sur cette pierre je bâtirai mon Église, et les portes de l'enfer ne prévaudront point contre elle.

Et je te donnerai les clefs du royaume des cieux.

JEANNETTE

Trois fois. Le même. Le même le renia trois fois.

MADAME GERVAISE

(Entrant comme dans une sainte colère)

Le reniement de Pierre, le reniement de Pierre. Vous n'avez que ça à dire, le reniement de Pierre. Balbutiant, bafouillant presque. De colère. On allègue ça, ce reniement, on dit ça pour masquer, pour cacher, pour excuser nos propres reniements. Pour faire oublier, pour oublier, nous-mêmes, pour nous faire oublier à nous-mêmes nos propres reniements. Pour parler d'autre chose. Pour détourner la conversation. Pierre l'a renié trois fois. Et puis après. Nous nous l'avons renié des centaines et des milliers de fois pour le péché, pour les égarements du péché, dans les reniements du péché.

Tu es Petrus, lui seul reçut son nom ainsi, directement, des propres mains de Dieu depuis Jésus. Et Jésus le tutoyait.

Les saints balayeurs, les grands saints balayeurs du monde.

JEANNETTE

Jamais les hommes de ce pays-ci, jamais des saints de ce pays-ci, jamais des simples chrétiens même de nos pays ne l'auraient abandonné. Jamais des chevaliers français ; jamais des paysans français ; jamais des simples paroissiens des paroisses françaises. Jamais les hommes des croisades ne l'auraient abandonné. Jamais ces hommes-là ne l'auraient renié. On leur aurait plutôt arraché la tête.

Des gens du pays lorrain. Des gens du pays français.

MADAME GERVAISE

Il fallait que les prophéties fussent accomplies.

JEANNETTE

Ils auraient laissé à d'autres le soin de les accomplir. Jamais le roi de France ne l'aurait abandonné. Jamais Charlemagne et Roland, jamais les gens de par ici n'auraient laissé faire ça. Jamais les ouvriers des villes, jamais les ouvriers des bourgs n'auraient laissé faire ça. Le maréchal aurait pris son marteau. Les femmes, les pauvres femmes, les glaneuses auraient pris des serpettes. Jamais Charlemagne et Roland, les hommes de la croisade, monseigneur Godefroy de Bouillon, jamais saint Louis et même le sire de Joinville ne l'auraient abandonné. Jamais nos Français ne l'auraient renoncé. Saint Louis, roi de France, saint Louis des Français. Jamais saint Denis et saint Martin, sainte Geneviève et saint Aignan, jamais saint Loup, jamais saint Ouen ne l'auraient abandonné. Jamais nos saints ne l'auraient renoncé. C'était des saints qui n'avaient pas peur.

MADAME GERVAISE

Mon enfant, mon enfant, comme tu parles. Tu t'appuies sur les deuxièmes saints contre les premiers saints ; tu te prononces pour les deuxièmes saints contre les premiers saints ; tu te réclames des deuxièmes saints contre les premiers saints. Quelle impiété, mon enfant. Tu introduis la division dans l'Église ; tu introduis un débat dans la communion des saints. Une division, un débat dans la communion.

Tu invoques les deuxièmes chrétiens contre les premiers chrétiens, les deuxièmes saints contre les premiers saints.

Toute maison divisée contre elle-même périra.

JEANNETTE

Je dis ce que je crois. Je connais la race des gens de ce pays-ci.

MADAME GERVAISE

Tu introduis la division dans l'Église une, que Notre Seigneur a fondée une, qu'il a voulue une, qu'il maintiendra éternellement une. Tu introduis la division, tu introduis un débat dans la communion une.

JEANNETTE

Je dis comme nous sommes, et comme étaient nos saints. Ils n'avaient pas peur des coups.

MADAME GERVAISE

Il n'y a qu'une sainteté. Ce sont les mêmes saints. Il n'y a qu'une sainteté, qui vient de Jésus.

Qui est la sainteté même de Jésus.

Éternellement reversée.

JEANNETTE

Sainte Geneviève, saint Aignan, saint Loup n'ont pas eu peur d'aller au devant des armées païennes. Ils n'ont pas eu peur des armées païennes. Et saint Martin était un soldat. Ce n'était pas une petite troupe de soldats romains et de bourreaux romains. Ce n'étaient plus quelques décurions. Et leur petite décurie, leurs misérables petites décuries. Qu'il fallait mettre en fuite. Il ne s'agissait plus de quelques centeniers. De quelque centurion et du tiers ou du quart de leur centurie. Ils se sont précipités d'un cœur ferme au devant d'armées innombrables, des armées païennes. Ils ne baissaient pas les yeux, ceux-là. Ils ne tremblaient pas de tous leurs membres. Ils ne reniaient pas. Ils ne renonçaient pas. Et saint Bernard, qui prêcha la deuxième croisade. C'était aussi un deuxième saint. Ils portèrent le corps de Jésus au devant d'armées innombrables. Et sainte Geneviève était une pauvre femme, une petite fille de Paris. Et c'étaient des armées innombrables, des armées païennes, pleines de meurtre et de sang. Et il n'y avait pas une épée, il n'y avait plus une épée, il ne s'agissait plus d'une épée, comme l'épée du soldat serviteur du prince des prêtres. Comme l'épée ou le bâton de ce Malchus. D'une épée, d'un sabre de sergent de ville. D'un sabre de garde champêtre. C'étaient des milliers et des milliers et des centaines de milliers de sabres. Et qui avaient servi. Et qui serviraient encore. Beaucoup. Longtemps.

Qui savaient servir.

Qui étaient prêts à servir.

Ils y allèrent pourtant. Dans les plis de leurs manteaux ils portaient la gloire de Dieu.

C'étaient des pasteurs, ça. Ils firent plus pour leur troupeau que les autres n'avaient fait pour le grand Pasteur, pour le pasteur en chef. Ils firent plus pour le peuple de Dieu que les autres n'avaient fait pour Dieu même.

MADAME GERVAISE

Tous les saints dans les plis de tous leurs manteaux ont toujours porté la gloire de Dieu.

JEANNETTE

C'étaient des barbares, des armées barbares, des armées innombrables, des armées païennes. Cent fois plus barbares, cent fois pires, infiniment plus barbares, infiniment pires que les Anglais mêmes. Et que les Bourguignons.

Ils y allèrent pourtant. Dans les plis de leur manteau ils portaient la gloire de Dieu et le corps de Jésus. Et les fronts barbares se courbèrent devant eux. Vainqueurs dans la défaite, ils vainquirent, ils triomphèrent des victorieux mêmes.

MADAME GERVAISE

Toute sainteté vient de Dieu, toute sainteté procède de Dieu. Il n'y a qu'une sainteté, qui vient de Jésus-Christ. Tous les saints sont les saints de Dieu, les frères de Jésus, les frères en sainteté de Notre-Seigneur-Jésus-Christ même. Les jeunes frères, les petits frères, les cadets de Jésus. Il n'y a qu'une sainteté, c'est la sainteté de Jésus même. Toute sainteté est la même. Toute sainteté vient de Dieu, qui en est la source éternelle. Toute sainteté procède de Jésus qui en est la source et le premier auteur. Et le premier objet et la résidence première. Le premier siège, le siège, éternel. Qui en est le premier exemple. Le modèle, l'inventeur, l'objet de toute imitation. La réussite, la plus grande réussite, et la première, la première réalisation. Tous les saints du monde ne sont que le reflet de Jésus. Toutes les saintetés du monde ne sont que les reflets de la sainteté de Jésus.

JEANNETTE

Saint François ne l'aurait jamais renoncé.

MADAME GERVAISE

Tu introduis le débat là où il ne doit jamais y avoir de débat. Tu introduis la division là où éternellement jamais il n'y aura de division.

Car l'Église est impérissable ; la communion est impérissable et toute maison divisée contre elle-même périra.

JEANNETTE

Sainte Claire ne l'aurait jamais renoncé.

MADAME GERVAISE

L'Église est une ; la communion est une ; une dans le temps ; une dans l'éternité.

JEANNETTE

Renoncé, renoncé, c'est le pire de tout. Madame Colette ne l'aurait jamais renoncé.

MADAME GERVAISE

Cette colère lui remonte.

Mais enfin, mais enfin, ces saints que tu allègues contre les premiers saints, ces chrétiens que tu sors contre les premiers chrétiens, de Charlemagne à saint François et à notre sainte Claire, ces saints, ces chrétiens que tu retournes contre eux-mêmes, en les retournant contre les autres, ils n'en jugeaient pas comme toi. Ils ne se retournaient point contre leurs frères. Ils ne se retournaient point contre leurs aînés. Ils ne se retournaient point contre leurs premiers. Ils ne se retournaient point contre la source éternelle.

Contre leurs modèles, contre leurs exemples, contre les objets de leur imitation.

JEANNETTE

Je dis ce qui est.

MADAME GERVAISE

Ils avaient la plus grande dévotion, ils n'avaient que dévotion pour leurs frères les saints, pour leurs frères les premiers. Ils se proposaient timidement et humblement, ils ne se proposaient que de les imiter. Tous ensemble ; tous ensemble comme eux ; tous ensemble après eux ; tous ensemble avec eux ; d'imiter Jésus.

Ils n'avaient que dévotion et imitation pour leurs frères ; pour leurs frères aînés ; pour leurs grands frères.

JEANNETTE

Je ne peux pas mentir. Je ne veux pas mentir. Je dis ce qui est.

MADAME GERVAISE

Ils jugeaient, eux ; ils savaient qu'ils étaient du même corps ; du même corps de chrétienté. Ils savaient qu'ils tenaient ensemble, qu'ils étaient du même tenant, du grand tenant de chrétienté.

Qu'ils étaient d'un seul, du seul et même tenant, du grand tenant de sainteté.

Tenanciers du grand tenant de sainteté.

JEANNETTE

Renoncer, non, renoncer. Comment a-t-on pu renoncer le Fils de Dieu.

MADAME GERVAISE

Juifs, Grecs, Latins, Français, il n'y a pas plusieurs sortes, il n'y a pas quatre races de saints. Saints juifs, saints grecs, saints latins et romains, saints français ; saints anglais et saints bourguignons il n'y en a qu'une race qui en est la race éternelle. Il n'y en a qu'une race qui est la race qui ne finira point ; la race spirituelle ; la race éternelle ; qui ne finira jamais, éternellement jamais. Car elle procède, car elle vient de la source qui ne tarira éternellement jamais.

Tous ces saints que tu allègues, ces grands saints, Charlemagne et saint Louis, sainte Geneviève et saint François, de Charlemagne à saint François je ne dis donc pas seulement que jamais ils n'auraient parlé comme ça, que jamais ils n'auraient parlé comme toi. Je dis qu'ils n'eussent entendu qu'avec horreur des paroles comme les paroles que tu viens de prononcer. Contre de telles paroles ils se seraient élevés, ils se seraient levés, ils se seraient soulevés de toutes leurs forces, de leurs pauvres forces, de leurs forces victorieuses. Contre le mauvais usage que l'on voulait faire d'eux. Contre ce pernicieux usage. Contre cet usage d'impiété, de les animer contre leurs frères, de les employer contre leurs prédécesseurs, contre leurs fondateurs, contre les premiers buveurs de la source éternelle, contre les premiers nourris de l'impérissable source.

JEANNETTE

Je dis seulement ceci : jamais nous, nous ne l'aurions lâché.

MADAME GERVAISE

Nous le lâchons tous les jours, malheureuse enfant, nous le lâchons tous les jours. Tu invoques saint François, ma pauvre enfant. Par madame Colette, par sainte Claire, par la filiation spirituelle de sainte Claire, fille spirituelle, sœur spirituelle, filleule spirituelle, compagne spirituelle, je me suis rangée sous la règle de saint François ; du même saint, de ce saint que tu invoques ; je me suis liée, pour éternellement je me suis liée, éternellement pour éternellement je me suis liée à la règle de saint François ; je me suis réfugiée sous la règle de saint François ; éternellement pour éternellement je me suis abritée sous la règle de saint François. Du même saint que tu m'opposes. Je vivrai et je mourrai, s'il plaît à Dieu, si Dieu veut je vivrai et je mourrai sous la règle, dans la règle de saint François. C'est pour cela que tu m'invoques saint François. Tu n'es pas bête. Tu n'es pas sotte. Tu m'opposes mon maître. Tu m'opposes mon patron. Tu m'opposes mon saint. Tu m'opposes mon maître.

Tu m'opposes mon père.

(Un silence.)

Eh bien moi qui suis de saint François, à toi qui n'es...

JEANNETTE

(vivement :)

À moi qui n'est de rien. Tout beau, madame. On est toujours de quelque part, on est toujours de quelque chose et de quelqu'un dans la chrétienté.

Il n'y a pas de va nu pieds et de propres à rien dans la chrétienté. Il n'y a pas de vagabonds, d'errants.

Vous qui êtes de saint François ; à moi qui suis de saint Remy, et de saint Jean et de sainte Jeanne. De saint Remy pour ma paroisse ; et de saint Jean et de sainte Jeanne pour mon baptême, pour le baptême de mon nom, pour le parrainage de mon baptême. De saint Remy comme paroissienne. Et de saint Jean et de sainte Jeanne comme chrétienne, comme baptisée, comme baptisée chrétienne. Saint Remy le patron, le grand patron de ma paroisse. Et saint Jean et sainte Jeanne mes patrons, mes grands patrons.

Les grands patrons de mon baptême.

Mes patrons de mon baptême et mes patrons du ciel.

Mais le grand patron c'est Jésus, notre patron, notre grand patron, le grand patron de tout le monde.

Et la sainte Vierge est notre mère.

Vous qui êtes de saint François ; à moi qui suis de saint Remy, et de saint Jean et de sainte Jeanne.

Vous qui êtes de Jésus ; à moi qui suis de Jésus.

MADAME GERVAISE

Moi qui suis de saint François ; à toi qui es de saint Remy, et de saint Jean et de sainte Jeanne.

Moi qui suis de Jésus ; à toi qui es de Jésus, je dis :

Je dis : Si mon maître était là, mon patron et mon père ; et je dis si tes patrons étaient là, tes pères et tes parrains, tes parrains spirituels ; si François était là, mon père, mon maître François ; et si saint Remy, et saint Jean et sainte Jeanne étaient là, je dis tu filerais doux, ma fille. Tu ne serais pas si fière, mon enfant ; tu ne serais pas si haute. Car c'étaient de grands saints. Tout pliait devant eux. Tu profites de ce que moi je ne suis qu'une pauvre femme, une pauvre pécheresse hélas comme tout le monde. Une pécheresse. Une pauvre. Une pauvresse de grâce. Et toi aussi tu aurais plié devant eux. Ensemble avec moi, ensemble avec tout le monde nous aurions plié devant eux. Ensemble pêle-mêle, ensemble communément, ensemble en communion. Ils étaient si près de la grâce, ils étaient si pleins de la source, ils étaient si près de la source, ils étaient si pleins de la grâce que la grâce coulait d'eux, coulait visiblement d'eux, débordait d'eux comme une source vive. Et non seulement, mon enfant, tout le monde obéissait, tout le monde suivait ; tout le monde pliait ; non pas seulement cela ; mais tout le monde était heureux ; tout le monde se réjouissait en eux, tout le monde se réjouissait d'eux, tout le monde se nourrissait d'eux ; tout le monde était heureux d'obéir, heureux de suivre, heureux de se soumettre, heureux de plier le front. Tu aurais plié, mon enfant, tu aurais courbé le front. Tout le monde obéissait, suivait avec joie. Ce n'étaient pas comme aujourd'hui astreintes et ingratitudes, rigueurs et duretés, ce n'étaient pas que contraintes et forcements. C'était une joie intarissable, une bénédiction perpétuelle, une joie, une douceur de suivre, un contentement d'y aller. Il aurait fallu faire effort, au contraire, pour n'y point aller, un effort ingrat, un effort impossible, un effort aussi que nul ne faisait, que l'on n'avait point le courage de faire. Une joie de plénitude et de bénédiction. On était comme une terre éclairée, chauffée du soleil, arrosée des bonnes pluies tièdes de printemps, des bonnes pluies tièdes d'automne. On se rendait. On se fondait. Et on se sentait dans la liberté, on sentait que l'on était dans la liberté. On était dans la joie, tu comprends. On pleurait de joie. Tu en aurais pris pour ton grade. On pleurait de joie. On se rendait. On pleurait de grâce. Tout le monde. On buvait ce lait. On se ravitaillait, on se rassasiait, on se baignait dans cette grâce. Il y en avait de trop. On en perdait. On en a trop perdu. On ne savait plus quoi en faire. Ça coulait de toutes parts. Ce n'était pas comme aujourd'hui. Aujourd'hui on en manque. Aujourd'hui nous canalisons. Aujourd'hui nous sommes comme des cultivateurs, comme des paysans, comme des laboureurs, comme des jardiniers qui manquent d'eau ; et alors nous faisons des barrages pour ne rien perdre de ce maigre filet ; pour ne rien laisser perdre. Nous faisons des barrages, et des canaux, et des canalisations ; nous administrons, nous régularisons, nous utilisons ce mince filet d'eau ; d'une eau éternelle ; de l'eau, d'une eau d'une source éternelle. Nous l'utilisons au plus, tant que nous pouvons. Et nos terres demeurent maigrement arrosées. Nos terres demeurent maigres. Un maigre filet d'eau. De maigres terres. De maigres moissons. Dans nos bras maigres nous ne rapporterons que des moissons maigres. Heureux encore si nous en rapportons. Un fleuve coulait. Un fleuve intarissable coulait. Il y a de la différence entre un grand fleuve et des amusements d'enfant. Entre un grand fleuve et des canaux, artificiels, des amusements d'eau. Mais moi je ne suis qu'une pauvre femme. Alors tu en profites. Tu en abuses. Tu es plus forte que moi. Mais Dieu est plus fort que toi et que moi. Tu résistes. Tu raisonnes. Tu te rebelles. Mais Dieu, s'il plaît à Dieu, est plus fort que tout le monde. Dieu, si Dieu veut, fera peut-être ce que je ne peux pas faire, moi indigne. Les mérites et les prières de Jésus, les promesses de Jésus, les mérites et les prières de tous les saints travaillent pour nous. Et qui sait, toute infime, toute indigne, toute infirme Dieu accordera peut-être quelque chose à mes prières. Il accordera peut-être, il accordera sans doute beaucoup aux tiennes, car il faut prier pour soi, il faut commencer par prier pour soi, Dieu aime que l'on prie et que l'on commence par prier pour soi. Autrement il y aurait de l'orgueil. Il y a de l'orgueil, c'est qu'il y a déjà une pointe d'orgueil. Dieu t'arrachera, Dieu te libérera de cette servitude. Dieu te sauvera, Dieu te calmera de cette inquiétude. De cette dangereuse, de cette périlleuse inquiétude. Au péril de ton âme. De cette inquiétude mortelle. Dieu t'éclairera de cette obscurité, de cette ombre où tu cherches.

Il faut prier pour soi dans les autres, parmi les autres, dans la communion de tout le monde.

Tout ce que je veux te dire ; tout ce que je peux te dire, moi pauvre femme, c'est que si le grand saint François était là, notre frère François, je ne dis pas seulement qu'il ne parlerait pas comme toi, mon enfant ma fille ; je dis qu'il n'aurait entendu de telles paroles qu'avec horreur ; je dis qu'elles lui auraient crevé le cœur. Ou plutôt non, mon enfant, ma pauvre enfant. (Riant presque.) Elles ne lui auraient rien fait du tout. Car il n'aurait rien entendu du tout (riant) et ce n'est pas parce qu'il est sourd, il ne les aurait pas entendues du tout. Et elles auraient été épargnées à tout le monde, elles auraient été épargnées à la face du ciel. Car lui présent, mon enfant, notre frère François étant là, s'il était là ma pauvre enfant, ma chère enfant, c'est toi qui ne les aurais pas dites, lui présent tu aurais courbé le front, belle enfant, ton cœur se serait fondu. Et tu aurais suivi, tu aurais suivi. Ton cœur se serait fondu dans une véritable piété. Mon Dieu, vos saints devraient vivre toujours. Ils partent trop tôt ; toujours trop tôt. Vous les rappelez toujours trop tôt. Vous en avez bien assez pour vous. Vous en avez bien assez chez vous. Et nous nous en manquons. Nous autres nous en manquons. Ils nous font faute. Ils nous font tant faute. Nous en manquons toujours. Eux autres ils réussissaient. Et nous nous sommes de pauvres femmes qui ne réussissons point.

Je vais plus loin, ma fille, et si l'on peut au ciel sentir quelques douleurs, des paroles comme celles que tu viens, que tu venais de prononcer, sont tout ce qui peut faire le plus de peine, s'ils les entendent, si jamais ils les entendaient, tout ce qui peut faire le plus de peine aux saints qui sont dans le ciel.

JEANNETTE

J'ai dit seulement, pardonnez-moi, je dis seulement : jamais nous autres nous ne l'aurions abandonné, jamais nous autres nous ne l'aurions renoncé. C'est la vérité. Je dis seulement : jamais les gens de par ici, jamais nous autres, jamais des Lorrains, jamais les gens de la vallée de la Meuse, jamais des paroissiens de nos paroisses, jamais ceux de Vaucouleurs, jamais ceux de Domremy, - jamais ceux de Maxey nous ne l'aurions abandonné. Nous sommes de grands criminels, nous sommes de grands pécheurs. Mais jamais nous n'aurions fait cela.

Jamais nous n'aurions laissé faire cela.

Ce qui est pire.

Ce qui est le pire.

De tout.

Je n'aime pas les Anglais. Je dis : Jamais des Anglais n'auraient laissé faire cela.

MADAME GERVAISE

Prends garde, mon enfant, l'orgueil veille et le malin ne se couche jamais. C'est son plus grand chef-d'œuvre que de détourner vers le péché les sentiments mêmes qui nous poussaient vers Dieu, qui nous jetaient à Dieu.

Qui nous conduisaient, qui nous mettaient au service de Dieu.

Nous avons deux sortes de sentiments, mon enfant. Deux races de sentiments croissent en nous, poussent en nous, mon enfant, se partagent notre âme, deux races de passions ; deux versants de plans inclinés nous entraînent ; deux jeux de mécanisme nous font pencher, nous inclinent ; deux mécanismes, deux versants de pentes nous entraînent ; deux mécanismes d'inclination, deux inclinaisons nous font glisser, nous font tomber d'un côté ou de l'autre.

Il y a les sentiments qui nous inclinent, qui nous conduisent vers Dieu, qui nous mènent, qui nous ramènent à Dieu ; il y a les passions qui nous jettent à Dieu ; il y a les mécanismes, les jeux de mécanisme qui nous poussent à Dieu ; il y a le versant, le plan incliné, l'inclination, l'inclinaison qui nous fait glisser, qui nous fait tomber du côté de Dieu.

Et malheureusement, hélas hélas il y a l'autre côté. Il y a les sentiments qui nous déclinent, qui nous déduisent, qui nous séduisent, qui nous détournent de Dieu ; qui nous démènent, qui nous déconduisent, qui nous déramènent, qui nous séduisent de Dieu ; il y a les passions qui nous arrachent de Dieu ; il y a les mécanismes, les jeux de mécanisme qui nous tirent de Dieu ; il y a le versant, le plan incliné qui nous fait déraper de Dieu ; l'inclination, l'inclinaison qui nous fait glisser, qui nous fait tomber de l'autre côté, hélas, que le côté de Dieu.

Mais enfin, tant que le démon travaille de son côté, ma pauvre enfant ma pauvre enfant on peut presque dire qu'il n'y a rien à dire ; hélas hélas, malheureusement hélas, c'est triste à dire, c'est affreux à dire : mais enfin, quand il travaille de son côté, on pourrait presque dire, tu me comprends bien, ma petite enfant, en un sens on pourrait presque dire que c'est son droit ; que c'est légitime, comme légitime ; quand il travaille dans son domaine, dans son royaume, hélas dans son royaume de perdition ; quand il travaille dans les sentiments qui travaillent pour lui ; quand il travaille dans les sentiments qui le servent, qui lui servent, naturellement ; qui sont faits, hélas, qui sont comme faits pour lui ; quand il travaille, quand il joue dans les passions qui lui reviennent ; quand il joue son jeu, le misérable ; quand il descend les pentes qui lui sont, hélas, comme réservées.

Comme abandonnées.

Seulement alors son domaine était toujours limité, son royaume, son misérable royaume. Il n'obtenait jamais, il ne pouvait obtenir qu'un certain nombre d'âmes. Alors il a inventé, le misérable, il a imaginé, le perfide, le pernicieux, le pestilentiel, il a inventé, il a imaginé d'inventer un péché ; un péché nouveau ; un singulier péché ; un péché propre ; un péché particulier ; un péché par qui enfin il passerait de l'autre côté ; par qui ainsi enfin il doublerait, il étendrait indéfiniment, infiniment son domaine, son royaume de perdition ; par qui enfin il toucherait, il tenterait les saints mêmes de Dieu.

Il atteindrait de la main les saints mêmes de Dieu.

Le misérable, le doublement misérable, le misérable de l'une et de l'autre main.

Un péché qui n'est plus seulement comme tous les autres. Comme les autres péchés. Comme tout le monde des péchés. Comme les péchés ses frères, ses misérables frères. Un péché nouveau. Un péché bien inventé. Un péché en dehors des autres. De tous les autres. Un péché qui fait jouer ensemble les vertus et les vices, également les vertus et les vices. Et même plus, et peut-être mieux, certainement mieux les vertus que les vices. Qui règne d'abord sur les autres péchés ses frères, ses petits frères, ses honteux frères, ses frères de perdition. Qui règne pour ainsi dire également sur les vertus. Et même plus sur les vertus, plutôt sur les vertus, pour ainsi dire mieux sur les vertus. Qui réunit, qui unit dans une basse, dans une honteuse servitude, qui utilise, qui égalise dans une bassesse, dans une commune, dans une honteuse égalité les vertus et les vices.

Qui joue également l'un et l'autre jeu.

Le vieil orgueil veille, mon enfant. Prends garde, prends garde, le vieil orgueil veille.

Le premier, le plus vieux maître du monde. Le plus vieux maître de servitude. Le premier inventé. Le plus vieil inventé. L'orgueil qui perdit les anges mêmes.

Le maître qui joue l'un et l'autre jeu. Qui donne et qui prend de l'une et l'autre main. Qui met des deux mains. Qui joue les deux jeux.

Le vieil orgueil ne se couche jamais. Prends garde, prends garde, mon enfant, le vieil orgueil ne dort jamais.

Le vieil orgueil ne connaît pas le sommeil de la nuit. Le vieil orgueil ne connaît aucun lit de repos.

C'est la plus grande invention du malin, mon enfant, ma pauvre enfant. On l'admirerait presque pour ainsi dire, tu comprends, tu entends bien, mon enfant, tu comprends comme je le dis, tu entends bien ce que je veux dire. C'est vraiment son chef-d'œuvre, on pourrait dire c'est presque un chef-d'œuvre. Car ainsi il a tenté, il a pu tenter, il a réussi à tenter les saints mêmes de Dieu. Et toute la force que la nature nous avait donnée, il nous la retourne, c'est celle-là qu'il nous retourne contre la nature et contre Dieu ; et toute la force que la grâce de Dieu nous donne, il nous la retourne, c'est celle-là même qu'il nous retourne contre Dieu. C'est une canalisation admirable, tu m'entends bien, un détournement incroyable, un retour, un retournement de canalisation, une dérivation prodigieuse. Ah oui, ah oui, c'est un chef-d'œuvre. Comment Dieu a-t-il pu lui laisser inventer ça. Par ce ministère, par ce moyen, par cette canalisation. Par le ministère de ce moyen, par le ministère de cette canalisation. C'est affreux. Vraiment c'est affreux à penser. Ainsi les sentiments qui nous tournaient vers

Dieu, c'est par ceux-là, par ceux-là mêmes, qu'il nous en détourne. Les sentiments qui nous conduisaient naturellement vers Dieu, qui nous acheminaient à Dieu, qui nous faisaient aboutir à Dieu, c'est par ceux-là qu'il nous en écarte. Les passions, les flots de passion qui nous jetaient à Dieu, c'est par eux qu'il nous en arrache. Et les flots de la grâce, malheureuse enfant, les flots de la grâce de Dieu, c'est dans ces flots-là, c'est dans ces flots mêmes qu'il nous noie dans le péché. Voilà comme il travaille, mon enfant, voilà ce que c'est que l'orgueil. Le malin est toujours le malin. Il fait son jeu dans le jeu de Dieu, dans le jeu même de Dieu. Et tout ce que Dieu nous a donné pour nous aider à faire notre salut, Jésus même et les mérites, Jésus et les promesses, il l'emploie pour nous perdre, il le fait servir à nous perdre, il le fait servir à notre perdition éternelle.

Il joue du côté où il ne devrait pas jouer, où il ne devait jamais jouer, dans le jeu de Dieu avec le jeu de Dieu.

Il emploie tout, il retourne tout, il sait retourner tout. Jésus même et l'histoire de Jésus.

JEANNETTE

Je dis seulement : des Français, des Anglais, des Bourguignons, jamais mon père, jamais ma mère nous ne l'aurions livré ; mon père, ce grand fort homme ; ma mère, qui a fait les pèlerinages ; jamais mon oncle Lassois, mon oncle Durand Lassois ; jamais mon parrain, jamais ma marraine ; jamais mes trois frères, jamais ma grande sœur ; jamais le curé même, le curé de Domremy, le vieux père Bardet, qui est pourtant un si brave homme, un si bon homme ; et si doux, si pacifique ; heureux les pacifiques ;un homme qui ne se mettrait jamais en colère, un homme qui ne se mettrait jamais à parler plus haut une fois qu'une autre ; un homme qui ne fait, qui n'a jamais fait de mal à personne ; et si curé. Eh bien il se serait mis en colère, ce jour-là, monsieur le curé. Jamais mon oncle, jamais Hauviette, jamais Mengette nous n'aurions enduré ça. Nos saints étaient des saints qui n'avaient pas peur des coups.

MADAME GERVAISE

Le vieil orgueil veille toujours. Quand le diable travaille par les autres péchés, par les six péchés capitaux, il fait son métier, le misérable ; il fait de son métier, il travaille dans sa partie. Mais quand il fait par l'orgueil, mon Dieu, quand il chemine, quand il s'avance dans les voies de l'orgueil, quand il passe par ces voies ; par ces voies détournées ; par ces voies de détournement ; par ces voies retournées ; par ces voies de retournement ; quand il prend le manteau d'orgueil, non alors, non, mon Dieu, il en fait trop. Vous lui laissez faire plus que son métier.

JEANNETTE

Je dis seulement : Nous n'aurions pas enduré ça. Nous n'aurions pas supporté ça. Nous n'aurions pas laissé faire ça. Je dis : Hauviette. Je dis : Mengette. (La regardant brusquement droit dans les yeux.) Je dis : Vous, madame Gervaise, nous n'auriez pas laissé faire ça.

MADAME GERVAISE

(Chancelant soudain sous cette poussée, sous cette invasion, sous cette attaque ; directe ; sous cette révélation de la pensée la plus secrète. Elle tremble. Elle rougit brusquement. Un éclair dans les yeux. Pois elle parle pour se rassurer. Elle éteint lentement, modestement tout cela.)

Mon enfant, mon enfant, ménage-moi.

Il est venu, la nuit, comme un larron, et il a tout dérobé.

(Balbutiant, bafouillant, se reprenant peu à peu :)

Je ne suis pas venue au monde dans ce temps-là, mon enfant.

JEANNETTE (implacable :)

Vous, vous ne l'auriez pas renoncé.

MADAME GERVAISE

(Dans un effort incroyable, dans un effort terrible d'humilité ; volontaire ; de volonté d'humilité ; comme traquée ; dans un frémissement, dans un frissonnement ; fermant les yeux ; humblement ; elle achèvera d'une voix grise.)

Mon enfant, je suis comme tout le monde.

Je ne vaux pas mieux que les autres.

Je ne suis pas venue au monde dans ce temps-là. Dieu nous fait venir au monde quand il veut. Il a toujours raison. Dieu fait bien ce qu'il fait.

Il est venu la nuit comme un voleur ; et il a tout emporté.

JEANNETTE

(Elle trouve le moyen de dire ce qui soit humblement :)

Moi je suis sûre que je ne l'aurais pas abandonné. Dieu m'est témoin que je ne l'aurais pas abandonné.

MADAME GERVAISE

(Reprenant peu à peu de l'assurance un peu par habitude :)

L'abandon, l'abandon...

(Dans un trouble encore :)

Le vieil orgueil veille. Dieu nous fait naître quand il veut. Le vieil orgueil n'est pas mort. Le vieil orgueil ne meurt jamais.

L'abandon, l'abandon, vous n'avez que ça à dire ; l'abandonnement des disciples, la révocation des apôtres, la renégation, le reniement de Pierre, vous n'avez que ça à dire. Dans la vie de tout un saint vous prenez, vous retenez ceci : qu'il fut, qu'un jour il fut renégat. Il est facile à présent d'être chrétienne, il est facile d'être paroissienne. C'était moins facile quand ils ont commencé. Vous faites les malins, à présent, vous faites les fiers, vous faites les forts, vous faites les grands. Vous faites les saints. Il est facile à présent d'être paroissienne. C'était moins facile quand il n'y avait pas de paroisse, et que toute la terre était inlabourée. Treize siècles de chrétiens, treize siècles de saints vous ont débarbouillé la terre ; treize siècles de chrétiens, treize siècles de saints vous ont désabusé la terre ; treize siècles vous ont labouré la terre. Ingrats, peuple ingrat : Treize siècles vous ont christianisé, treize siècles de saints vous ont sanctifié la terre. Et alors, c'est tout ce que vous trouvez à dire. Treize siècles de chrétiens, treize siècles de saints vous ont bâti vos paroisses, vous ont essuyé la terre, la face de la terre, vous ont bâti vos églises. Et alors c'est tout ce que vous avez à dire. Ingrats, peuple ingrat. En venant au monde, vous avez trouvé la maison faite et la table mise. La table sainte. Et ce que vous dites, c'est qu'un jour, un jour de deuil, le jour d'un deuil éternel, c'est qu'un jour il fut un renégat.

La terre, la face de la terre était si sale, mon enfant. Toute souillée de saleté, toute souillée, toute sale de paganisme.

Toute souillée de l'adoration des faux dieux.

Du culte des faux dieux.

Et il n'y avait pas une paroisse à la face du ciel.

Renégat, renégat. C'est vite dit. Une fois il renia Jésus, trois fois. Et nous, et nous, combien de fois l'avons-nous renié. Le reniement de Pierre, le reniement de Pierre : et le reniement de vous, le reniement de vous autres. Le reniement de nous, le reniement de moi. Le reniement de tout le monde ; toujours de tout le monde ; de tout vous autres, de tout nous autres tout le monde. Des milliers et des milliers de fois nous le renions. Et c'est d'un reniement pire. Des centaines et des milliers de fois nous l'abandonnons, nous le trahissons, nous le renions, nous le renonçons. De quel reniement. D'un reniement infiniment pire. Car il y a une différence. Eux autres, ils étaient des pauvres gens qui ne savaient rien. On ne leur avait rien demandé. On ne leur avait pas demandé leur avis. Jésus était passé et les avait emportés. Un jour il était passé comme un voleur. Il avait emporté tout le monde. Il avait tout pris, tout emporté. Tous ceux qui étaient marqués. Tous ceux qui se trouvaient là. Qui se trouvaient au droit. C'étaient de pauvres pêcheurs ; du lac de Tibériade. Que l'on nommait aussi la mer de Galilée. Et ces deux qui raccommodaient leurs filets avec leur père. Et un jour, dans la stupeur de cette histoire foudroyante, dans le tremblement de cette révélation extraordinaire, un jour, les pauvres gens, eh bien oui, ils ont manqué leur affaire. Ils n'y étaient pas ce jour-là. C'est qu'ils n'étaient pas entraînés, ils n'étaient pas habitués à une aussi grande histoire. Ils n'étaient pas habitués, ils n'étaient pas faits à leur propre grandeur. Ils n'y étaient aucunement préparés. Par toute leur vie antérieure. Par leurs parents, par leur métier, par leur famille. Par leurs habitudes, par leurs amis, par leurs compagnons. Par leurs conversations, par leurs occupations de tous les jours. Ils n'étaient pas avertis. Ils ne pensaient pas, ils ne savaient pas qu'ils étaient venus au monde pour ça. Exprès pour ça, uniquement pour ça. Ils ne connaissaient pas leur grandeur, leur propre grandeur, leur vocation, la destination de leur grandeur. Ils n'avaient pas été avertis. Ils n'avaient reçu aucun avertissement. Enfin, ils furent surpris. Naturellement. Ils ne s'y attendaient pas. Ça se comprend. C'était la première fois. Mais nous.

(Elle prononce des paroles grises :)

L'orgueil veille.

Le vieil orgueil veille.

Mon enfant, nous ne sommes pas venues au monde dans ce temps-là.

Nous sommes toutes comme tout le monde.

La terre était toute sale, toute boueuse, toute barbouillée de fange.

En ce temps-là.

In illo tempore.

En ces jours-là.

In diebus autem illis.

Toute fangeuse.

Et nous on nous a débarbouillé la terre, essuyé les plâtres, amassé, préparé les approvisionnements où nous nous ravitaillons éternellement.

JEANNETTE

Je dis seulement : Je suis comme tout le monde ; (mais) je sais que je ne l'aurais pas abandonné.

MADAME GERVAISE

Ils ne soupçonnaient pas leur histoire, leur propre histoire, la grandeur de leur histoire. Comment l'eussent-ils devinée. On n'avait jamais rien vu de pareil. Mais nous. Nous, nous avons reçu treize siècles d'avertissement. Nous avons reçu treize siècles d'admonitions. Avons-nous été assez avertis. Nous avons treize siècles d'exercice. Treize siècles d'existence. Nous avons treize siècles d'habitude même. Nous savons. Nous connaissons. Nous ne devrions pas être surpris.

En avons-nous assez reçu, des avertissements. Treize siècles de chrétiens, treize siècles de saints, treize siècles de chrétienté. Nous devrions savoir. Une fois. Une fois, deux fois, trois fois. Et le coq chanta. Mais nous c'est la millième, c'est la cent millième, c'est la centième de millième fois que nous le livrons ; que nous l'abandonnons, que nous le trahissons ; que nous le renonçons, que nous le renions. Peuple ingrat, peuple ingrat, mais aussi renégat. Des milliers et des centaines de milliers de fois que nous le renions pour les égarements du péché.

Combien de fois, des milliers et des centaines de milliers de fois les coqs des fermes, de toutes les fermes ont chanté après que nous l'avions renié trois fois ; sur nos simples, sur nos doubles, sur nos triples reniements. Les coqs dans la paille. Sur le fumier des fermes.

C'est drôle on parle toujours de ce coq-là, il est célèbre, du coq qui se trouva là pour chanter, pour sonner, pour enregistrer le reniement de Pierre. C'est pour changer c'est pour détourner la conversation. C'est pour donner le change. Il y a eu des coqs depuis. Il y a des coqs dans nos pays. Et ils ne sont pas inoccupés. Nous ne les laissons pas inoccupés. On dirait qu'il n'y a pas de coqs dans nos pays. On ne parle jamais des coqs de nos pays. Hélas hélas il n'y a pas un coq dans pas une ferme qui n'ait chanté, qui n'ait sonné, qui n'ait annoncé au soleil levant, qui n'ait enregistré, chaque jour, chaque soleil, des reniements pires. Des reniements plus que triples. Qui n'ait proclamé la turpitude de l'homme. Le coq chante au point du jour. Ce que le coq chante au point du jour, au point de tous les jours ; dressés sur le fumier de toutes les fermes ; dressés sur leurs ergots, ce qu'ils vantent, ce qu'ils célèbrent, ce qu'ils proclament, ce qu'ils annoncent c'est nos reniements sans nombre. Comment peut-on entendre le matin le chant du coq, comment peut-on entendre chanter le coq, chanter un coq, le matin, et ils recommencent tous les jours, et combien de fois chaque jour, combien de fois par jour, sans penser aussitôt au triple reniement, sans pleurer aussitôt le triple reniement, et nos reniements, qui sont plus que triples. Chaque jour.

Un coq a chanté pour Pierre ; combien de coqs chantent pour nous ; la race n'en est pas perdue.

La race des coqs n'est pas perdue.

Seulement nous ne les entendons pas, ceux-là, nous ne voulons pas les entendre.

Hélas, hélas, il doit commencer à y être habitué. Nous lui en avons donné l'habitude ; une habitude à lui-même ; nous l'y avons habitué. Nous lui avons donné cette singulière habitude : d'être renié.

Nous lui avons fait prendre cette habitude.

La même histoire arrive toujours. Par la présence réelle, la présence de Jésus la même histoire arrive toujours.

Mais ces saints dont tu parles si légèrement ; et non pas seulement toi ; tout le monde, partout on en parle légèrement ; ce Pierre, notre fondateur, dont tu parles à la légère ; que tout le monde blague ; le maître des clefs. Ils furent les apôtres investis. Ils furent les premiers disciples.

Jésus pardonna, et instantanément, d'avance il avait pardonné le reniement de Pierre. Dieu veuille qu'il ait pris l'habitude ; et que pareillement aussi il nous pardonne nos reniements innombrables.

Dieu veuille que Dieu ait pris l'habitude. Dieu veuille avoir pris l'habitude. Aussi cette habitude.

Cette habitude comme l'autre.

Comme l'autre que nous lui avons fait prendre.

Cette habitude et non pas seulement l'autre.

Pierre notre pierre. Pierre la pierre de notre fondation.

Ils furent les premiers. Ils furent les disciples. Ils furent les apôtres. Ils furent les martyrs. Pierre obtint l'honneur suprême d'être crucifié. Crucifié comme Jésus ! Quelle marque. Quel honneur ; unique. Quelle marque de sa destination. Il fut seulement crucifié la tête en bas, par esprit d'humilité, parce que naturellement personne ne peut être crucifié tout à fait comme Jésus.

Jésus était la tête et lui est la base. Jésus était la tête et lui les pieds. Le pied.

Et André, son frère André fut crucifié en croix de saint André.

Quand nous aurons payé comme eux, autant qu'eux, nos reniements, nos propres reniements, alors, mon enfant, nous pourrons causer. Quand nous aurons eu cet honneur, quand nous serons morts pour lui, comme eux, alors, mon enfant, nous pourrons peut-être dire un mot ; nous pourrons placer notre mot. (Riant presque en dedans.) Mais alors, mon enfant, c'est alors que nous ne dirons rien. Car c'est alors que nous n'aurions plus rien à dire. Car ce serait que nous serions dans le royaume. Dans le royaume où l'on ne dit plus rien, où l'on n'a plus rien à dire. Car ce serait que nous partagerions avec eux la béatitude éternelle.

Ce serait que nous partagerions leur béatitude éternelle.

Leur béatitude. La béatitude qu'ils ont gagnée. Dans le royaume où l'on ne dit plus rien, parce que l'on n'a plus rien à dire.

Parce qu'il n'y a plus rien à dire.

Jésus a prêché ; Jésus a prié ; Jésus a souffert. Nous devons l'imiter dans toute la mesure de nos forces. Oh ! nous ne pouvons pas prêcher divinement ; nous ne pouvons pas prier divinement ; et nous n'aurons jamais la souffrance infinie. Mais nous devons tâcher de toutes nos forces humaines à dire, à communiquer du mieux que nous pouvons la parole divine ; nous devons tâcher de toutes nos forces humaines à prier du mieux que nous pouvons selon la parole divine ; nous devons tâcher de toutes nos forces humaines à souffrir du mieux que nous pouvons, et jusqu'à la souffrance extrême sans nous tuer jamais, tout ce que nous pouvons de la souffrance humaine. Voilà ce que nous devons faire ici-bas, si vraiment nous ne voulons pas lâchement laisser damner les autres, si nous ne voulons pas lâchement nous laisser ainsi damner avec eux.

JEANNETTE

Je crois bien qu'au fond je ne suis tout de même pas lâche.

MADAME GERVAISE

Voilà ce que nous devons faire ici-bas. Car il y a des trésors. Comme il y a malheureusement pour ainsi dire comme un trésor des péchés, heureusement, heureusement il y a d'autres trésors.

Il y a dans le ciel, dans le ciel et sur la terre, dans le ciel et de là sur la terre, il y a dans le ciel un trésor de la grâce ; un trésor des grâces ; une source éternelle de la grâce ; elle coule toujours et elle est toujours aussi pleine ; elle coule éternellement et elle est éternellement pleine ; voilà ce que les docteurs de la terre n'ont pas compris.

Elle est toujours pleine. Elle est toujours éternellement aussi pleine. Voilà ce que n'ont pas compris les docteurs de la terre.

Il y a un trésor des souffrances, un trésor éternel des souffrances.

La passion de Jésus l'a empli d'un seul coup ; l'a tout empli ; l'a empli infiniment ; l'a empli pour éternellement. Et pourtant il attend toujours que nous l'emplissions, voilà ce que n'ont pas compris les docteurs de la terre.

Il y a un trésor des prières, un trésor éternel des prières. La prière de Jésus l'a empli d'un seul coup ; l'a tout empli ; l'a empli infiniment, l'a empli pour éternellement ; cette fois qu'il inventa le Notre Père ; cette fois, cette première fois ; cette unique fois ; la première fois que le Notre Père sortit dans le monde ; la fois, l'unique fois, la première fois que le Notre Père parut sur la face du monde ; prononcé de ces lèvres divines ; éclaira la face de la terre ; sorti de quelles lèvres ; la prière qui devait être ensuite, éternellement ensuite, prononcée tant de fois ; résonner tant de fois sur des lèvres indignes ; la prière qui devait être répétée tant de fois ; résonner tant de fois sur des lèvres humaines ; ensuite éternellement tant de fois ; la prière qui tant de fois devait sonner, devait trembler aux lèvres pécheresses ; tant de fois monter aux lèvres fidèles. Tant de fois chanter ; murmurer. Tant de fois trembler aux chœurs des fidèles, au secret des cœurs.

Quand la prière sortit pour cette fois, pour la première fois, la prière dont nous ne ferons jamais que des échos.

La première fois que le Notre Père sortit sur la face de la terre, sortit dans la création, éclaira la face de la terre ; sortit de lui.

Sortit sur la face du monde, éclaira la face du monde.

La première fois que le Notre Père monta vers Notre Père, qui êtes aux cieux.

Inventé, prononcé de ses lèvres divines.

Il y a un trésor des prières. Jésus, cette fois, d'un seul coup, cette première fois Jésus l'emplit ; l'emplit tout ; pour éternellement. Et il attend toujours que nous le remplissions, voilà ce que n'ont pas compris les docteurs de la terre.

Il y a un trésor des mérites. Il est plein, il est tout plein des mérites de Jésus-Christ. Il est infiniment plein, plein pour éternellement. Il y en a presque de trop ; pour ainsi dire ; pour notre indignité. Il en regorge. Il déborde ; il redéborde ; il en déborde. Il est infini et pourtant nous pouvons y ajouter, voilà ce que n'ont pas compris les docteurs de la terre. Il est plein et il attend que nous l'emplissions. Il est infini et il attend que nous y ajoutions.

Il espère que nous y ajoutions.

Voilà ce que nous devons faire ici-bas. Heureuses quand le bon Dieu, dans sa miséricorde infinie, veut bien accepter nos œuvres, nos prières et nos souffrances pour en sauver une âme. Une âme, une seule âme est d'un prix infini.

JEANNETTE

Quel sera donc le prix de tout un peuple d'âmes ; quel sera donc le prix d'une infinité d'âmes.

MADAME GERVAISE

Il y a un trésor des promesses. D'un seul coup, du premier coup Jésus a tenu toutes les promesses. Il est venu et il a tenu toutes les promesses. Il a tenu toutes les promesses de Dieu, toutes les promesses des prophètes. Toutes les promesses de Dieu remémorées, répercutées par les prophètes, par la lignée des prophètes. Toutes les promesses faites à son peuple, au peuple d'Israël ; et en Israël à toute humanité. Singulières promesses. Elles ont toutes été accomplies du premier coup, elles furent toutes couronnées d'un seul coup. Et éternellement c'est de nous, c'est aussi de nous, c'est finalement de nous qu'elles attendent leur accomplissement, qu'elles attendent leur couronnement. Singulières promesses. Encore singulières. Doublement singulières. C'est à nous qu'elles furent données. C'est à nous qu'elles furent promises. Et c'est de nous en définitive que dépend leur accomplissement, c'est de nous qu'elles attendent leur couronnement. C'est en nos mains, en nos faibles mains, en nos maigres mains ; en nos mains indignes, en nos mains pécheresses que réside leur accomplissement même et la promesse de leur couronnement. C'est le monde renversé. Celui à qui la promesse est faite est aussi celui qui en définitive tient la promesse, se tient la promesse à lui-même. C'est le monde à l'envers. Celui qui tient est le même que celui à qui c'est promis. C'est nous qui nous tenons parole à nous-mêmes, qui avons à nous tenir parole à nous-mêmes. Voilà ce que n'ont pas compris les docteurs de la terre.

JEANNETTE

Une âme, une seule âme est d'un prix infini. Que sera-ce le prix d'une infinité d'âmes ?

MADAME GERVAISE

Tu me forces. Tu me dépasses. Quand on dit sauver une âme, cela veut dire sauver cette âme, qu'on pense à cette âme ; au salut de cette âme. On dit : sauver une âme. Cela ne veut pas dire qu'on exclut les autres, qu'on pense, qu'on travaille contre les autres, en dehors des autres ; qu'on se prononce contre les autres, en dehors des autres ; qu'on prie en dehors des autres.

Car ce serait prier en dehors de la communion.

Quand on dit sauver une âme, on dit, on veut dire une âme, une certaine âme. On ne dit pas une, une seule comme quand on compte un, deux, trois.

On ne prie jamais en dehors de personne.

De manière à tenir personne en dehors.

On ne prie jamais contre personne.

On dit sauver une âme, on dit comme ça.

JEANNETTE

(Comme n'entendant pas :)

Que sera-ce le prix d'une infinité d'âmes ?

MADAME GERVAISE

On doit penser à tous, on doit prier pour tous. Trop heureuses quand sa faveur infinie veut bien choisir cette âme parmi celles que nous avons aimées. Ah Jeannette, si tu savais...

(Un silence bref.)

On t'aura dit souvent que j'avais fui le monde et que j'avais été lâche, que j'étais lâche, que j'avais abandonné maman ; ils n'ont que ça à dire, que l'on a fui le monde, que nous fuyons le monde : si tu savais par combien de larmes, et du sang de mon corps et du sang de mon âme j'ai voulu sauver cette âme-là ! Pardonnez-moi, mon Dieu, cet orgueil à jamais, d'avoir osé choisir une âme à la sauver.

(Un long silence.)

Mais quand l'âme a passé devant le Tribunal, si Dieu l'a condamnée à l'Enfer éternel, nos œuvres ne valent pas pour elle ; elle est morte ; nos prières ne valent pas pour elle ; pour elle nos souffrances ne valent pas. Ne donnons pas pour elle, ne donnons pas en vain pour elle nos œuvres vivantes, nos prières vivantes, nos souffrances vivantes : il faut laisser les morts ensevelir leurs morts.

JEANNETTE

(Elle cesse de filer pour engager la discussion.)

Alors, madame Gervaise, quand vous voyez qu'une âme se damne...

MADAME GERVAISE

(Avec une sourde violence extrême ; comme un cri d'en dessous :)

Jamais nous ne savons si une âme se damne.

JEANNETTE

Hélas ! nous savons bien qu'il en est qui se damnent. Nous voyons bien. Voyons ! madame Gervaise : souvent nous croyons bien que telle âme est damnée.

MADAME GERVAISE

Ma sœur, quand je crois bien qu'une âme s'est damnée, je suis malheureuse et je donne à Dieu la souffrance nouvelle où mon âme est enclose à supposer damnée une âme encore ici.

On offre à Dieu ce que l'on a. On offre à Dieu ce que l'on peut.

JEANNETTE

Et quand vous voyez, madame Gervaise, que vos prières sont vaines ?

MADAME GERVAISE

(Très vivement ; comme un cri sourd ; comme un cri secret :)

Jamais nous ne savons si la prière est vaine.

(Rougissant et se reprenant vite.)

Ou plutôt nous savons que la prière n'est jamais vaine. Il y a le trésor des prières. Depuis que Jésus a dit son Notre Père. Depuis la première fois que Jésus a dit le Notre Père.

(Très ferme.)

Et quand cela serait, c'est affaire au bon Dieu : nos âmes sont à lui. Quand j'ai fait ma prière et bien fait ma souffrance, il m'exauce à sa volonté : ce n'est pas à nous, ce n'est à personne à lui en demander raison.

JEANNETTE

Et la souffrance.

MADAME GERVAISE

Il exauce la souffrance comme il exauce la prière.

JEANNETTE

Et quand nous voyons, quand vous voyez que la chrétienté même, que la chrétienté tout entière s'enfonce graduellement et délibérément, s'enfonce régulièrement dans la perdition.

MADAME GERVAISE

On verra, on verra, mon enfant. Qu'est-ce que tu en vois. Qu'est-ce que tu en sais. Qu'est-ce que tu sais. Qu'est-ce que nous en savons. On verra voir. Laissons courir, laissons venir la volonté de Dieu. Le monde se perd, le monde s'enfonce dans la perdition. Tu t'en aperçois, tu le vois, depuis quand ? Mettons depuis huit ans. Tu l'entends dire, aux vieux, depuis quand ? Mettons depuis quarante, depuis cinquante ans. Mettons de père en fils depuis cinquante et cent ans. Et puis après. Que sont quarante, que sont cinquante et cent ans auprès de ce qui est promis à l'Église. Et quand ce serait depuis les treize siècles que ça dure. Que sont des siècles de jours et des siècles d'années. Que sont des siècles de minutes ? Il y aura des siècles de siècles. Nous sommes de l'Église éternelle. Nous sommes dans la chrétienté éternelle. Nous sommes de la chrétienté éternelle. Ces temps sont venus, il y aura d'autres temps. Ces temps sont venus, il y aura, il y a l'éternité. Que pèsent des siècles de siècles du temps en face de l'éternité.

De la véritable, de la réelle éternité.

En face des promesses éternelles. De

la promesse d'éternité. De la promesse faite à l'Église.

En face des promesses.

En face des promesses que pèse l'événement ; le pauvre, le misérable événement ; tout ce qui arrive.

Qu'est-ce que nous savons.

Qu'est-ce que nous voyons.

Et quand cela serait, c'est affaire au bon Dieu : la chrétienté même est à lui, l'Église est à lui. Quand j'ai fait ma prière et bien fait ma souffrance, il m'exauce à sa volonté : ce n'est pas à nous, ce n'est à personne à lui en demander raison.

Nous sommes dans la main de Dieu.

Les voies de Dieu sont insondables.

JEANNETTE

(Un peu brusquement.)

Adieu, madame Gervaise.

MADAME GERVAISE

Adieu, ma fille. Que Jésus le Sauveur sauve à jamais ton âme.

JEANNETTE

Ainsi soit-il, madame Gervaise.

(Elle se remet à filer.)

Orléans, qui êtes au pays de Loire.

(Madame Gervaise était sortie. Mais elle rentre avant que l'on ait eu le temps de baisser le rideau.)